MDS : 660567
ISBN : 978-2-215-09766-2

Dépôt légal à la date de parution.
Conforme à la loi n° 49-956 du 16 juillet 1949
sur les publications destinées à la jeunesse.
Imprimé en Italie (09-11)

Conception et texte :
Émilie Beaumont

Images :
Bernard Alunni
Marie-Christine Lemayeur

FLEURUS ÉDITIONS, 15-27 rue Moussorgski, 75018 PARIS
www.fleuruseditions.com

LES ABEILLES

Les abeilles sont des insectes qui vivent en colonies. On les voit en été butiner les fleurs à la recherche de leur nourriture.

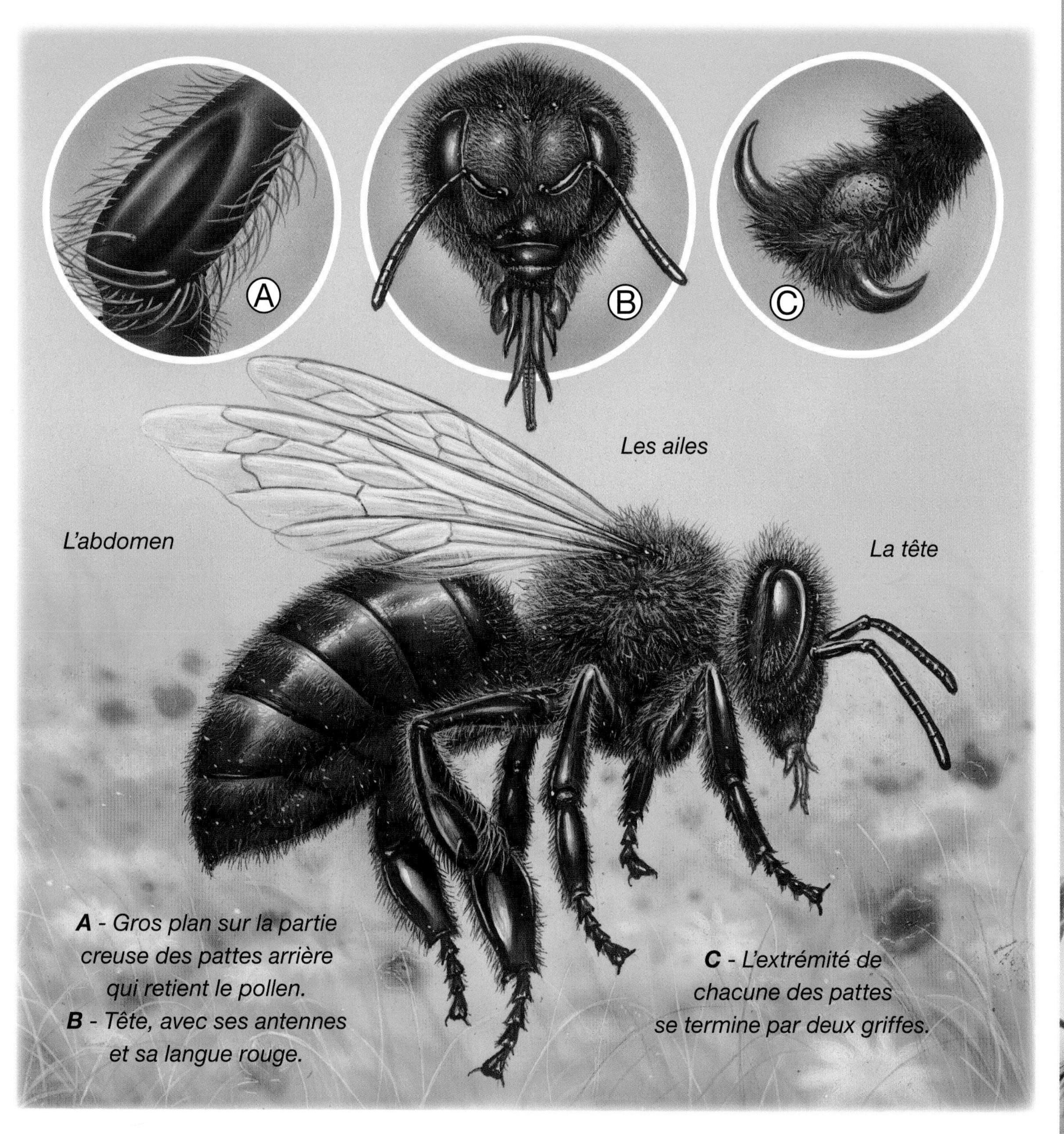

Les antennes de l'abeille lui servent à toucher, à sentir et à percevoir les sons. Ses gros yeux lui permettent de bien voir.

LES DIFFÉRENTES SORTES D'ABEILLES

Dans une colonie d'abeilles, il y a une reine, des ouvrières et des faux-bourdons. Chacun a un rôle bien déterminé dans le nid.

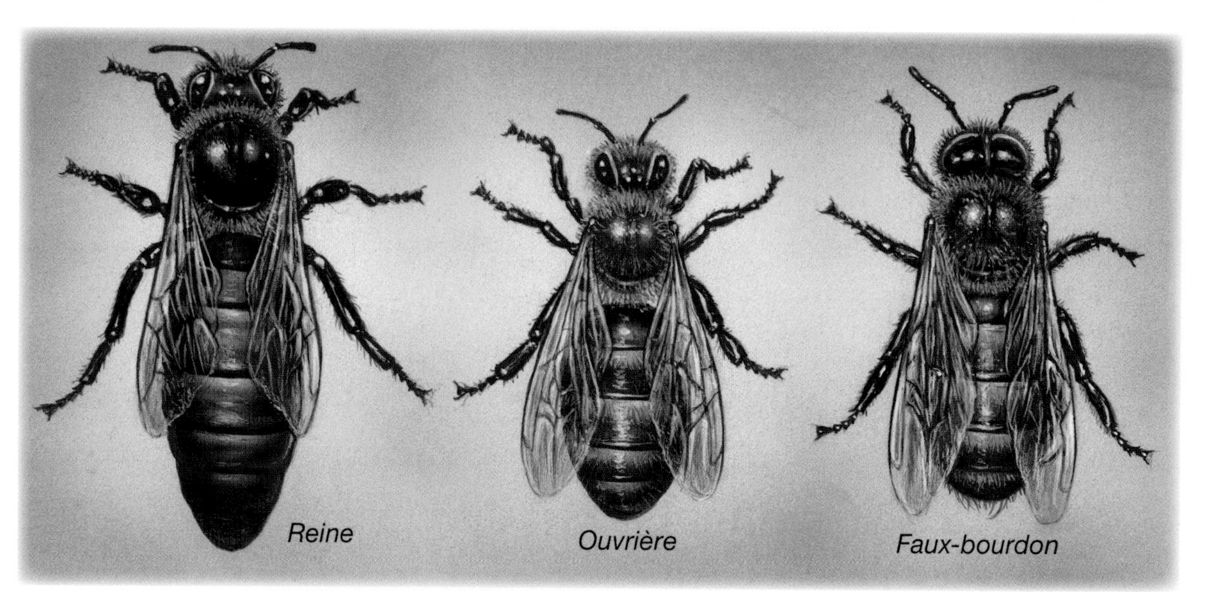

Reine *Ouvrière* *Faux-bourdon*

Les ouvrières font différents travaux. Les faux-bourdons sont les mâles de la colonie et s'accouplent avec la reine.

La reine est entourée de ses ouvrières, qui la nourrissent, la protègent et communiquent avec elle grâce à leurs antennes.

LE TRAVAIL DE LA REINE

La reine pond surtout au printemps ; elle s'arrête en hiver. Elle peut pondre jusqu'à 2 500 œufs par jour, ce qui est énorme.

L'accouplement de la reine avec les faux-bourdons a lieu en vol. Le mâle agrippe la femelle avec ses pattes et dépose dans son abdomen assez de petites graines pour qu'elle puisse pondre des œufs toute sa vie. Après l'accouplement, les mâles tombent à terre et meurent. La reine regagne le nid ou la ruche.

La reine dépose ensuite ses œufs séparément dans de petites cases appelées alvéoles. De chaque œuf sort une larve qui sera nourrie par les ouvrières. Puis les cases sont fermées et de petites abeilles vont se former.

LES MÉTIERS DE L'ABEILLE OUVRIÈRE

Une ouvrière ne vit pas très longtemps : environ 30 jours, au cours desquels elle exerce différents métiers.

Son premier métier : nettoyeuse. Elle nettoie les alvéoles qui vont recevoir les œufs, puis elle débarrasse le nid des détritus avec ses mandibules.

Son deuxième métier : nourrice. Elle nourrit les larves, les surveille, les chouchoute, leur rendant visite plusieurs centaines de fois par jour.

Après avoir été nettoyeuse et nourrice, l'ouvrière devient bâtisseuse, puis ventileuse. Pendant l'été, les ouvrières se mettent à plusieurs devant le nid et battent des ailes pour l'aérer.

Quand elles sont bâtisseuses, les ouvrières construisent des alvéoles pour agrandir le nid. Elles font une espèce de chaîne en s'agrippant les unes aux autres par les pattes et, chacune à son tour, elles déposent des plaques d'une cire produite par leur abdomen. C'est un travail très minutieux.

Lorsqu'elles sont soldats, elles attaquent les ennemis, comme cette abeille qui ne fait pas partie de la colonie.

Devenues gardiennes, elles surveillent l'entrée de la ruche ou du nid et signalent aux soldats la venue des ennemis.

Le dernier métier de l'ouvrière est butineuse. Elle fait des allers et retours entre les fleurs et le nid. Ce travail ne dure que quatre à cinq jours, car l'abeille est vite épuisée et meurt.

Lorsqu'elle devient butineuse, elle recueille le pollen des fleurs et le transporte jusqu'au nid dans le creux de ses pattes arrière.

Elle aspire aussi de l'eau pour les larves et les abeilles du nid. Quand elle est manutentionnaire, elle dépose dans les alvéoles le nectar récolté par les butineuses, qui deviendra le miel.

L'ESSAIMAGE

Quand les abeilles sont trop nombreuses dans la ruche ou dans le nid, la reine s'en va avec des ouvrières : c'est l'essaimage.

Avant de partir, la reine va pondre des œufs dans des alvéoles plus grandes. Les larves qui en sortent ne sont élevées qu'à la gelée royale, et elles donneront naissance à de nouvelles reines. Puis, par une belle journée de printemps, la vieille reine quitte la ruche ou le nid, accompagnée de milliers d'ouvrières formant un essaim.

Cet essaim va s'accrocher sous un toit ou autour d'une branche en attendant que les ouvrières trouvent un endroit pour le nid où une nouvelle colonie verra le jour.

LE BOURDON

Le bourdon est un gros insecte. Il n'est pas le mâle de l'abeille, car il butine, alors que le mâle de l'abeille ne butine pas.

Bourdon noir : en réalité, c'est une abeille très grosse et dont le vol est aussi bruyant que celui des vrais bourdons.

Bourdon des champs

Bourdon des pierres

L'ALIMENTATION ET LA REPRODUCTION

Les bourdons vivent seuls ou en colonies dont l'organisation rappelle celle des abeilles, avec une reine et des ouvrières.

Les bourdons se nourrissent de nectar et de pollen. Ils ont une langue plus longue que celle des abeilles, ce qui leur permet de puiser plus profondément dans le cœur des fleurs. Comme les abeilles, ils participent à la pollinisation des plantes.

Dès les premiers froids, la colonie meurt. Seule survit la reine, qui va s'endormir pendant l'hiver. Au printemps, elle va faire son nid. Elle fabrique deux cellules en cire : l'une contient du nectar et du pollen ; l'autre, ses œufs. Les larves qui naissent donneront naissance à des ouvrières.

LES GUÊPES

Elles ressemblent aux abeilles, mais elles sont beaucoup moins dodues, ont la taille plus fine et ne fabriquent pas de miel.

Dard

Mandibules

Antenne

La guêpe broie ses aliments grâce à ses grosses mandibules. Elle a deux grandes antennes noires qui lui permettent de communiquer avec les autres guêpes.

Le dard de la guêpe ne reste pas dans la chair, contrairement à celui de l'abeille. La piqûre est douloureuse et peut être dangereuse si elle a eu lieu dans la bouche.

UN NID POUR LA COLONIE

Les guêpes communes vivent en colonies. C'est en été qu'elles sont le plus nombreuses. En hiver, toutes périssent, sauf la reine, qui hiverne.

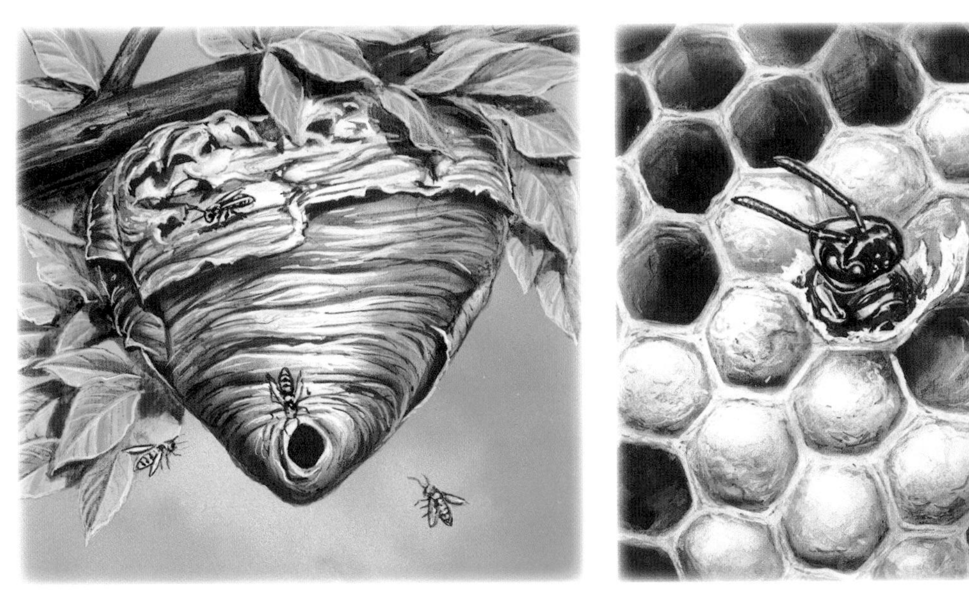

La reine fabrique son nid, constitué de nombreuses alvéoles, à partir de minuscules morceaux de bois qu'elle mâche pour en faire une pâte qui durcit.

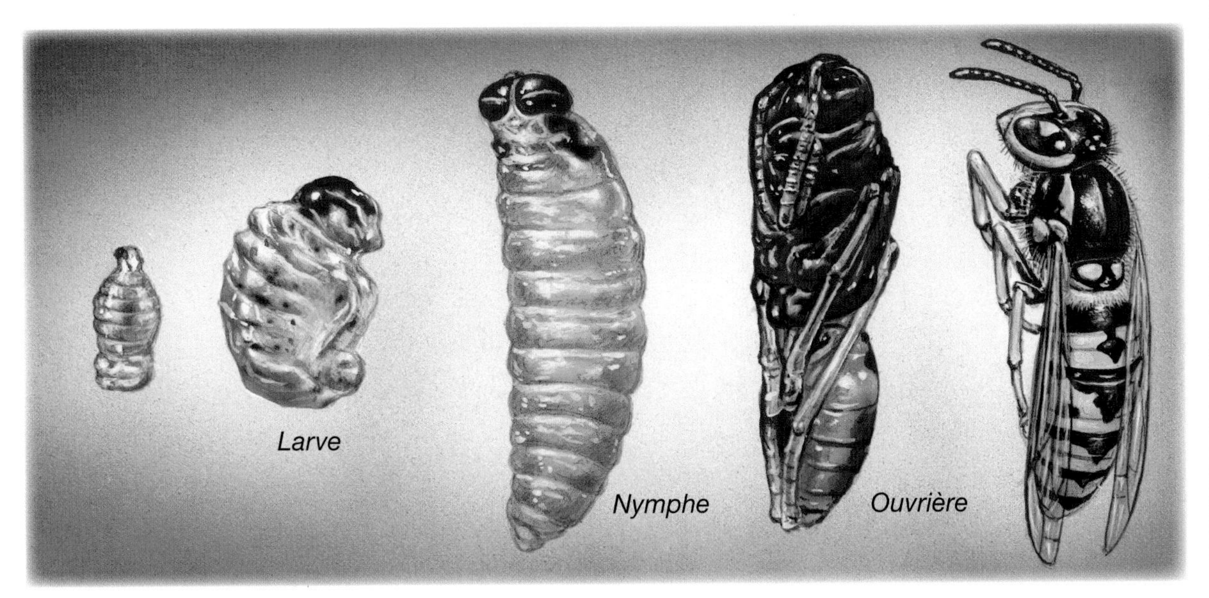

La reine pond un œuf dans chaque alvéole. Une larve naît qui va devenir nymphe et enfin ouvrière.

LA NOURRITURE DES GUÊPES

Elles se nourrissent d'insectes tels que mouches et pucerons, de larves, de chenilles et d'aliments sucrés.

Comme les abeilles, les guêpes se nourrissent aussi de nectar, mais ce qu'elles préfèrent, c'est la pulpe des fruits bien juteux.

Les guêpes raffolent de la confiture et du miel.

Avec leurs mandibules, elles réduisent les chenilles en bouillie.

LES POMPILES, GUÊPES SOLITAIRES

Ce sont des guêpes qui vivent seules. Elles ont des antennes et des pattes plus longues que celles des guêpes communes.

Elles capturent des araignées en les paralysant et les donnent à manger à leurs larves.

Dans le monde, on estime que chaque araignée à un pompile susceptible de l'attaquer.

LA TERREUR DES ARAIGNÉES

Le pompile s'attaque aux araignées qui sont beaucoup plus grosses que lui, et pourtant c'est toujours lui qui gagne !

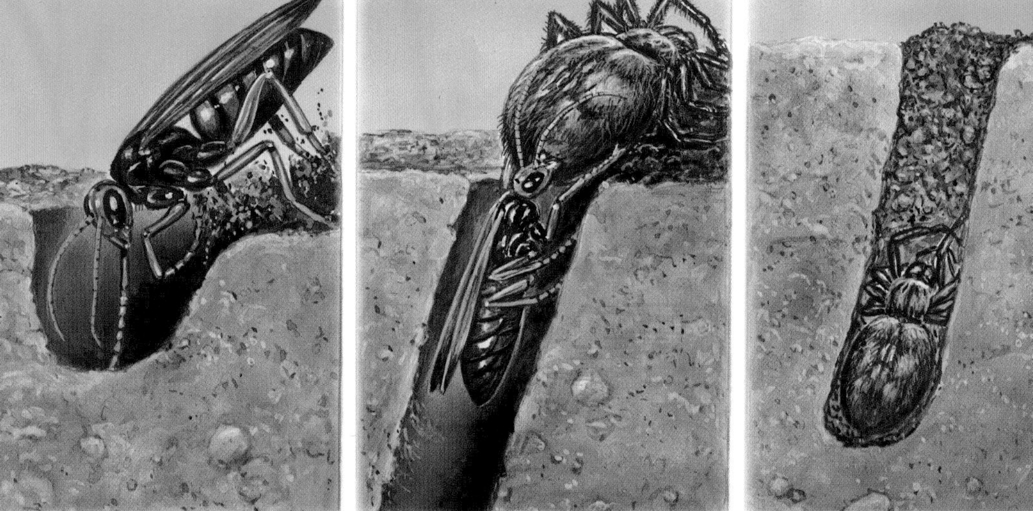

Le pompile prépare son terrier avant de capturer l'araignée. Puis il entraîne sa proie encore vivante au fond de son trou et pond un œuf dessus. Quand la larve naît, elle a de quoi se nourrir.

LA GUÊPE DES SABLES

Elle vit dans des régions au sol sablonneux, où elle creuse son trou pour pondre ses œufs. Ce trou est fermé par un caillou.

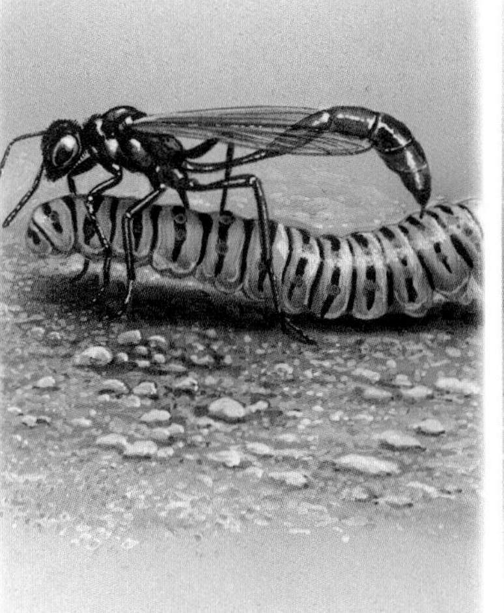

La guêpe paralyse cette chenille en la piquant, puis elle la glisse dans son trou, pond ses œufs dessus et referme son terrier. Les larves mangeront la chenille.

LE FRELON

Il est environ trois fois plus gros qu'une guêpe. Il vit en colonie.
Il faut s'en méfier, car sa piqûre est particulièrement douloureuse.

La reine fabrique son nid à l'aide de bouts d'écorce d'arbre qu'elle mastique pour obtenir une pâte. Les frelons se nourrissent de nectar, de pulpe de fruits bien mûrs, de la sève des arbres blessés et également de mouches et de chenilles.

LA COCCINELLE

Ce très bel insecte, appelé aussi bête à bon Dieu, a deux ailes fragiles protégées par d'autres plus rigides et colorées appelées élytres.

Il existe de nombreuses espèces de coccinelles : des rouges à points blancs, des noires à points rouges, des noires à points jaunes… Mais la plus connue est la rouge à points noirs.

LA REPRODUCTION DES COCCINELLES

Les coccinelles se reproduisent en grande quantité. Une femelle peut donner naissance à un millier de larves dans sa vie.

Dès le printemps, le mâle et la femelle s'accouplent. Puis la femelle cherche une feuille couverte de pucerons pour pondre ses œufs.

Au bout de 7 jours, des larves sortent des œufs. Elles ont un appétit d'ogre. Elles se précipitent sur les pucerons, qu'elles dévorent.

DE LA LARVE À LA COCCINELLE

À mesure qu'elle grandit, la larve change de peau, puis elle cesse de s'alimenter pour devenir une nymphe et ensuite une coccinelle.

À un moment, la larve présente sur son dos des sortes d'épines orange, puis elle fait le gros dos et se fixe sur une tige pour devenir une nymphe.

Quelques jours après, de la nymphe sort une coccinelle orange sans points noirs, qui apparaîtront quelques instants plus tard avec la couleur rouge.

LA VIE DES COCCINELLES

Elles ont beaucoup d'ennemis : les oiseaux, les fourmis, les punaises, la mante religieuse et de nombreux petits rongeurs.

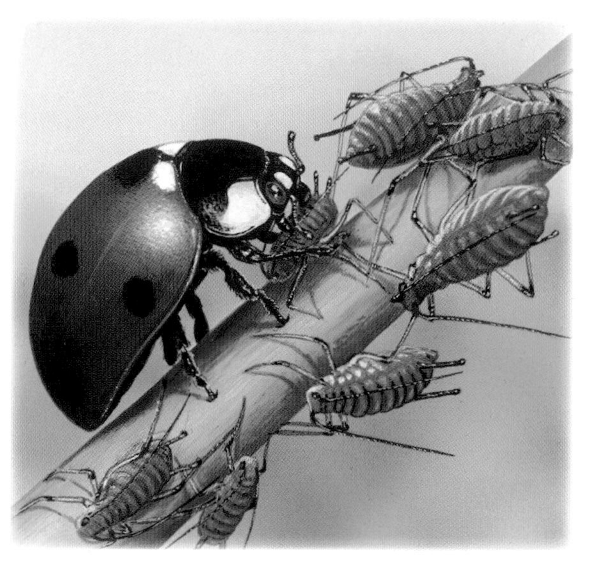

La coccinelle se nourrit surtout de pucerons, qui sont nuisibles aux plantes.

Les fourmis, qui se nourrissent aussi de pucerons, mangent les œufs et les larves de coccinelle.

La coccinelle fait la morte pour échapper à la mante religieuse qui veut l'attraper.

En hiver, les coccinelles se regroupent les unes contre les autres et s'endorment.

La coccinelle appartient à une grande famille d'insectes, les coléoptères. Ils ont tous des ailes rigides, très colorées, les élytres. Il existe plus de 300 000 de ces petites bêtes.

Le clairon à huit points est de la même couleur que la coccinelle.

Le doryphore vit en groupe et s'attaque à la pomme de terre.

Cette trichie des roses vit sur les rosiers, d'où son nom.

Ce charançon est curieux avec sa tête munie d'une sorte de trompe !

Beaucoup de coléoptères sont carnassiers. Ils se nourrissent d'insectes, de larves, de petits escargots. Mais d'autres s'attaquent aux plantes sur lesquelles ils vivent.

Le lucane, ou cerf-volant, vole à la tombée du jour.

Le carabe vit dans les vieilles souches d'arbre.

Le xylopreda a des points noirs sur le dos comme la coccinelle.

Le cryptocéphale aime se nourrir du pollen des fleurs de pissenlit.

LE HANNETON

C'est un gros insecte de la famille des coléoptères. Il possède deux grandes antennes qui se terminent par des éventails.

Pour s'envoler, il se jette dans le vide en poussant sur ses pattes arrière.

Le hanneton est un vrai glouton : il dévore les feuilles des arbres et les pétales des fleurs.

LA REPRODUCTION DES HANNETONS

Les larves des hannetons vivent longtemps sous terre avant de devenir des adultes. Elles se nourrissent des racines des plantes.

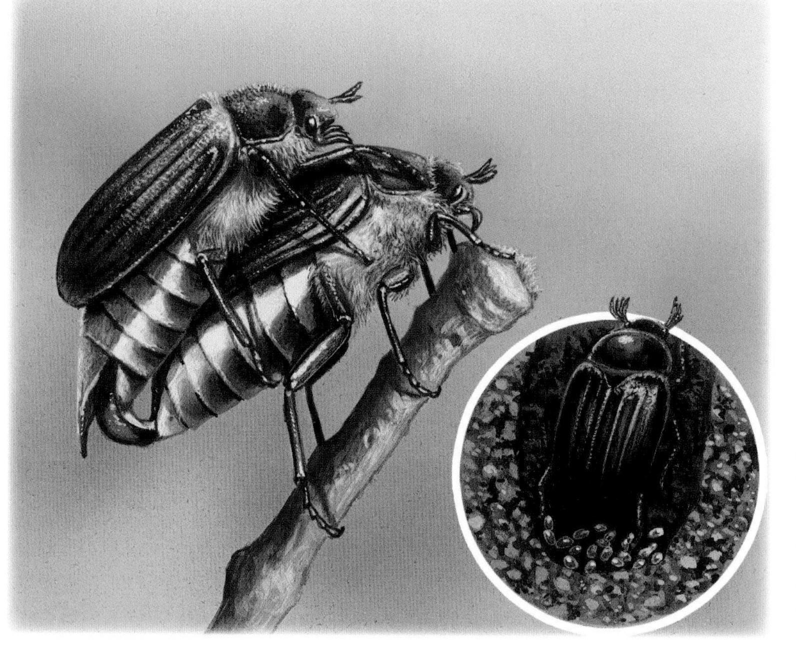

L'accouplement a lieu au printemps, en général sur une branche d'arbre. Une dizaine de jours après, la femelle disparaît sous terre pour pondre ses œufs à environ 10 cm dans le sol.

nymphes

L'hiver, les larves s'enfoncent dans le sol, s'arrêtent de manger et s'endorment.

Au bout de trois ans, le jeune hanneton sort de terre.

Le développement de la larve, appelée ver blanc, se fait sur trois ans. Pendant tout ce temps, elle mange, dort beaucoup et mue plusieurs fois.

LE BOUSIER

Le bousier, comme tous les scarabées, se nourrit des bouses des animaux. On en trouve beaucoup dans les fermes.

Certains bousiers creusent leur nid dans une bouse, s'y installent et y pondent leurs œufs ; d'autres font un trou près des excréments et y apportent leur nourriture sous forme de boulettes.

Parfois, deux mâles s'affrontent pour une pelote de bouse.

Le bousier fait rouler sa boule de bouse jusqu'à son trou.

LES SCARABÉES

Ce sont aussi des coléoptères, comme les coccinelles. Ce sont de gros insectes qui étaient célèbres dans l'Égypte des pharaons.

Cétoine dorée

Scarabée Goliath. C'est l'un des plus gros insectes du monde.

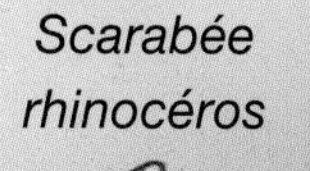

Scarabée rhinocéros

Scarabée bleu

LES FOURMIS

Ce sont des insectes cousins des guêpes et des abeilles.
Il y en a partout sur la planète ; elles seraient dix milliards !

Le corps de la fourmi est constitué de trois parties : la tête, le thorax et l'abdomen. Il est recouvert d'une sorte de carapace.

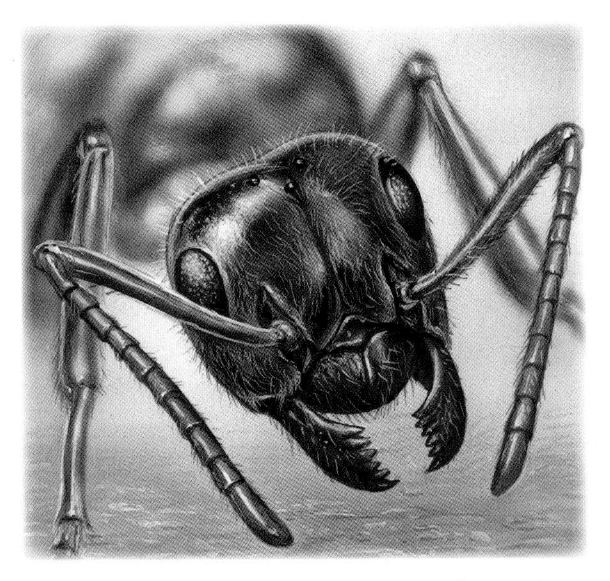

Les antennes permettent aux fourmis de communiquer, de percevoir les odeurs et de reconnaître les goûts.

La bouche est armée de mandibules, sortes de pinces à tout faire.

LA FOURMILIÈRE

Les fourmis vivent en colonies dans des fourmilières qu'elles construisent dans la terre, sous une pierre ou sous des épines de pin.

Dans la fourmilière, les fourmis creusent des galeries menant à des chambres dont chacune a son utilité.

1. *Chambre de la reine*
2. *Chambre des œufs*
3. *Chambre des larves*
4. *Chambre à grain*
5. *Chambre à insectes morts*
6. *Chambre à pucerons*

Certaines fourmis font leur nid dans des arbres morts, d'autres l'accrochent à des plantes aquatiques. Les fourmis tisserandes font des nids avec des feuilles dans les arbres.

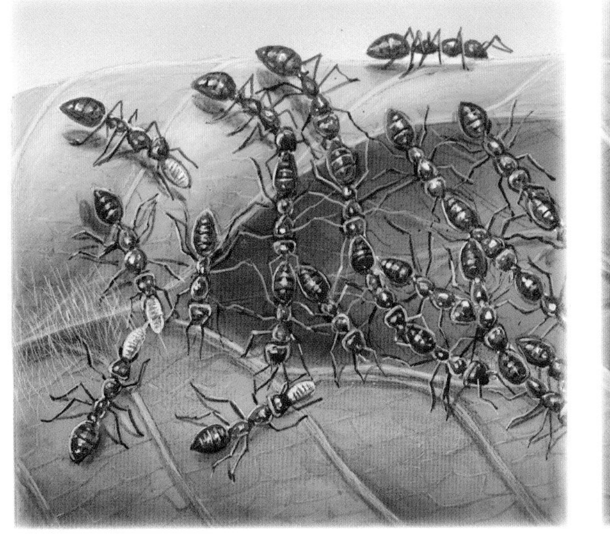

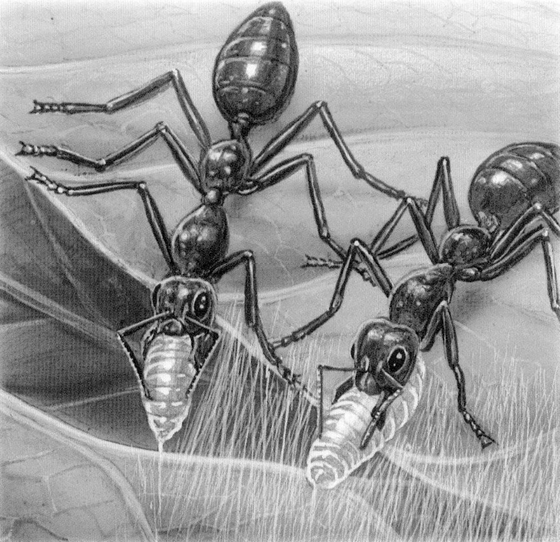

En formant des chaînes, les fourmis tisserandes parviennent à rapprocher les bords des feuilles. Pour les assembler, elles utilisent les fils de soie produits par leurs larves.

Ces fourmis vivent dans les forêts tropicales en colonies de milliers d'individus. Mais leurs nids suspendus ne durent pas très longtemps, les obligeant à déménager pour tout recommencer.

LA REPRODUCTION DES FOURMIS

Dans la colonie, il y a une reine, qui pond des œufs, et des ouvrières, qui travaillent toute leur vie sans s'arrêter.

Dès que les œufs sont pondus, ils sont emportés par des ouvrières dans la chambre qui leur est réservée. Au bout de cinq à dix jours, des larves naissent, qu'il faut nourrir.

Entre la ponte d'un œuf (1) et l'apparition de la fourmi, il faut compter environ un mois, au cours duquel la larve (2) grossit puis s'enveloppe de fils de soie pour devenir une nymphe (3) et enfin une fourmi.

L'ALIMENTATION DES FOURMIS

La recherche de la nourriture est la grande activité des ouvrières, qui doivent nourrir la reine, les larves et les autres fourmis.

Les fourmis se régalent du jus sucré des fruits, comme les pêches, les abricots et les melons.

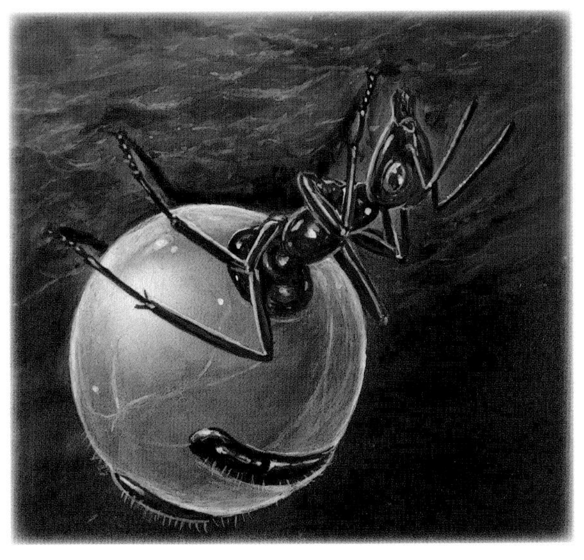

Les fourmis pots-de-miel accumulent des réserves de jus sucré dans leur abdomen pour nourrir la colonie.

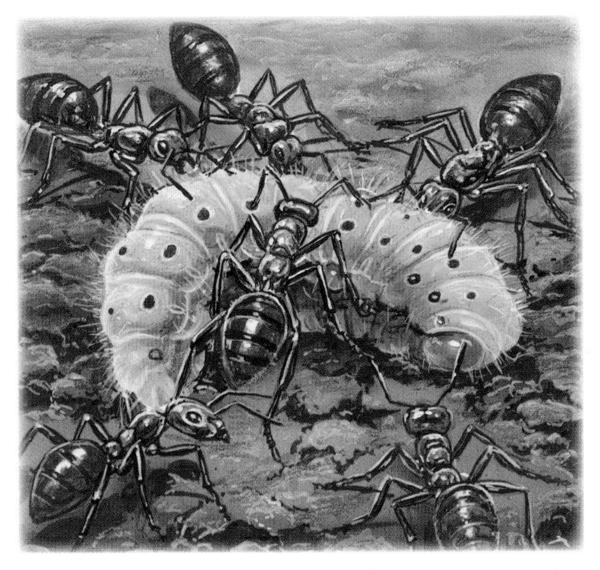

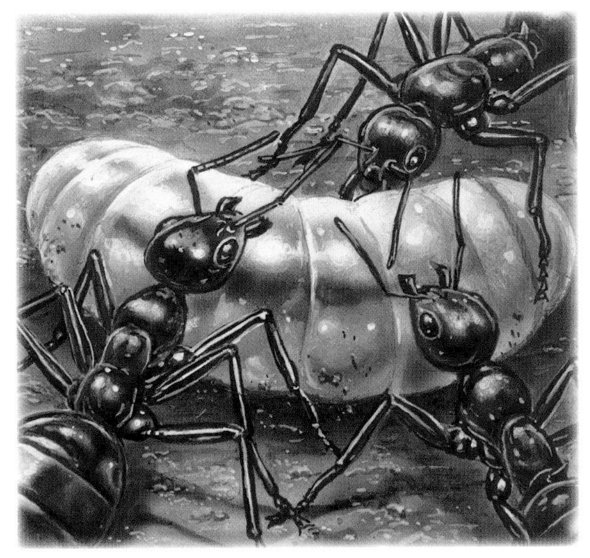

Certaines espèces se nourrissent de coccinelles, de chenilles, de scarabées et autres insectes, et même de leurs larves. Elles se mettent à plusieurs pour transporter leurs proies jusqu'au nid.

De nombreuses espèces de fourmis mangent de tout en s'adaptant à ce qu'elles trouvent dans leur environnement. Certaines ont une alimentation bien spécifique.

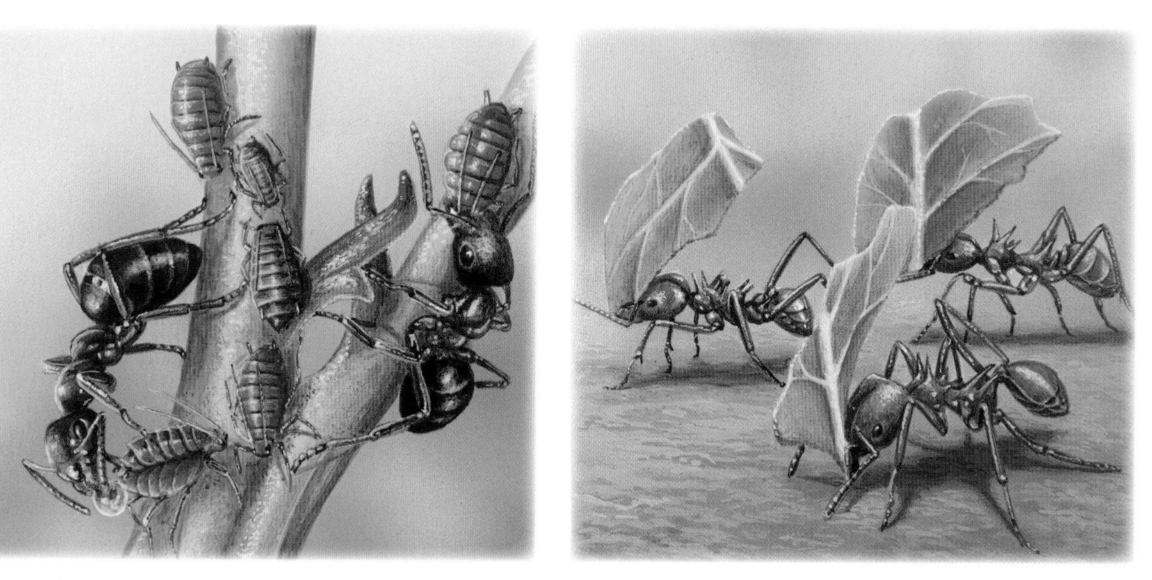

Certaines fourmis élèvent des pucerons, car elles raffolent du miellat qu'ils sécrètent. D'autres récupèrent des feuilles, qu'elles réduisent en une bouillie sur laquelle elles cultivent un champignon qu'elles mangent.

Les fourmis moissonneuses récoltent des graines qu'elles réduisent en bouillie avant de les manger.

L'arbre à fourmis produit des espèces de graines jaunes qui servent de nourriture aux fourmis.

LA COMMUNICATION DES FOURMIS

Les fourmis communiquent pour connaître les besoins des unes et des autres et se transmettre des informations.

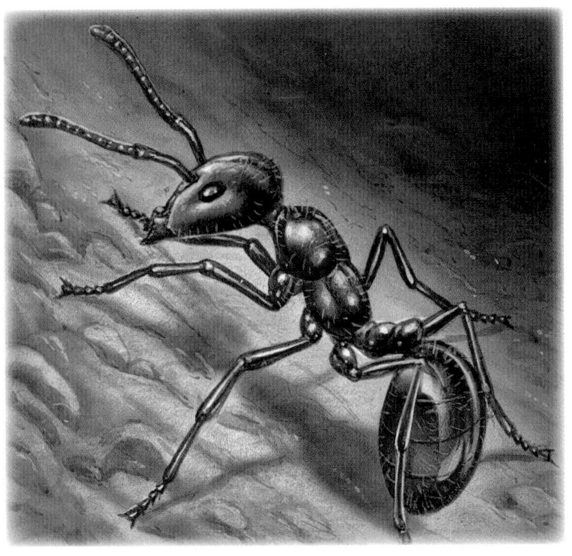

Pour prévenir d'un danger, elles peuvent se mettre en position d'alerte, mandibules ouvertes et abdomen dressé, ou frapper avec leur ventre les parois de la fourmilière.

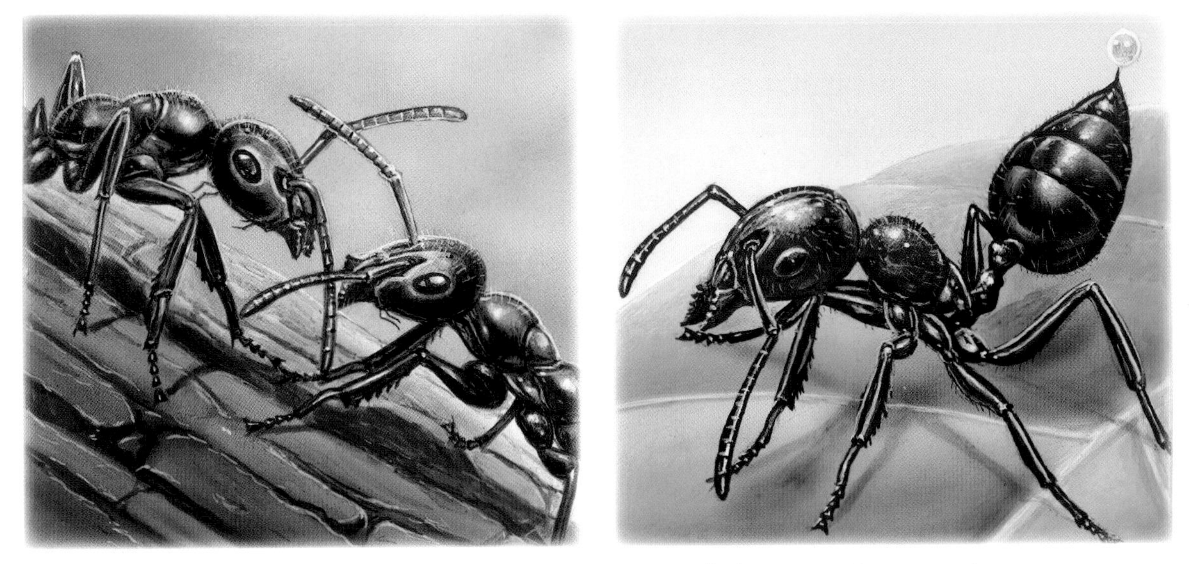

Par le contact de leurs antennes ou de leurs pattes avant, les fourmis discutent. La petite goutte qui perle au bout de l'aiguillon est un signal odorant qui prévient les autres fourmis d'un danger.

LES FOURMIS LÉGIONNAIRES

Elles n'ont pas de nid. Elles se regroupent la nuit autour de la reine en formant une sorte de boule appelée bivouac.

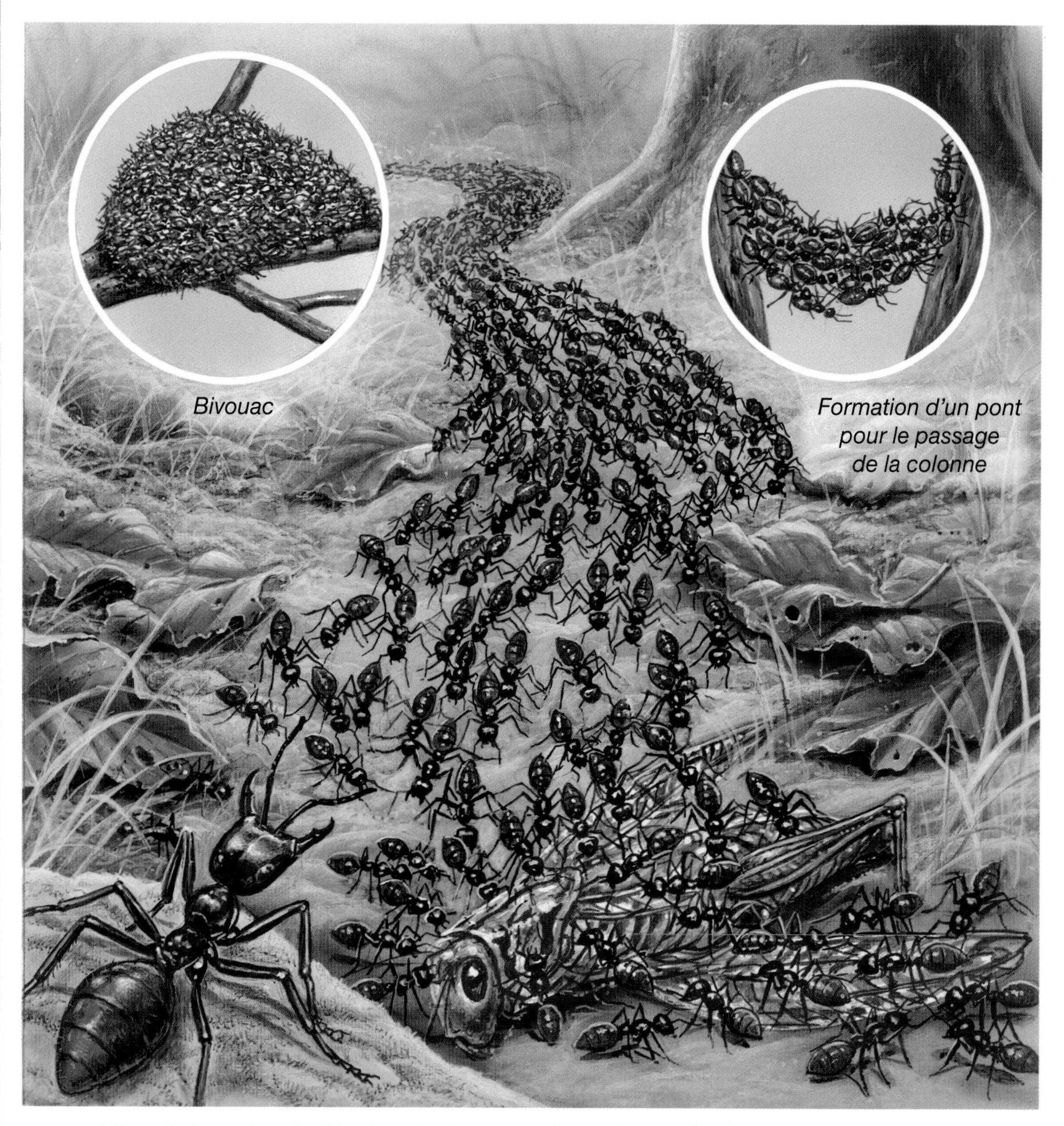

Vivant dans les forêts tropicales, ces fourmis se déplacent par colonnes de plusieurs milliers d'individus et s'attaquent à tous les insectes ou autres animaux, même plus gros, présents sur leur passage.

LES FOURMIS ESCLAVAGISTES

Chez cette espèce de fourmis, les ouvrières sont incapables de s'occuper de la reine et des larves, ce qui pose un problème !

Ces fourmis ont trouvé la solution : elles s'introduisent dans le nid d'une autre colonie et s'emparent des œufs, des larves et des nymphes. Les ouvrières qui naîtront feront le travail. Parfois, pendant leur expédition, les fourmis tuent la reine et pillent toutes les réserves.

Elles transportent leur butin en le tenant avec leurs mandibules.

Si elles trouvent des fourmis pots-de-miel, elles les ramènent au nid.

LA SAUTERELLE

On la rencontre en été. Elle a des ailes mais se déplace en sautant. Elle chante en frottant ses ailes l'une contre l'autre.

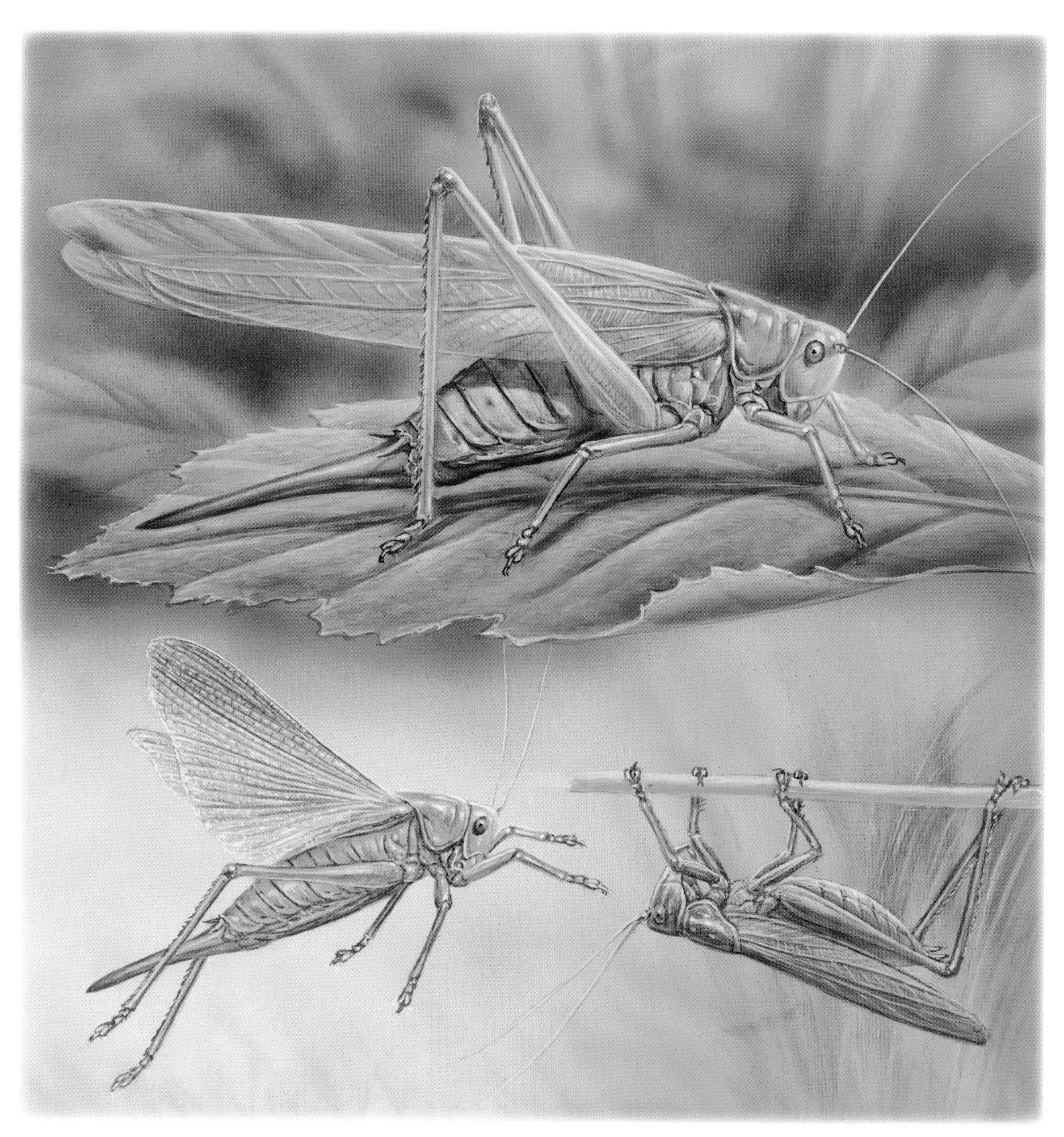

Elle peut faire des bonds extraordinaires grâce à ses longues pattes arrière qui agissent comme des ressorts. Ses fines pattes sont munies de griffes qui lui permettent de se tenir dans n'importe quelle position.

LA REPRODUCTION DES SAUTERELLES

L'accouplement a lieu à la fin de l'été. Les œufs sont déposés dans un trou et n'écloront qu'au printemps suivant.

Pendant l'accouplement, le mâle accroche sur l'arrière-train de la femelle une sorte de sac blanc rempli de petites graines qui vont entrer dans son ventre pour la féconder.

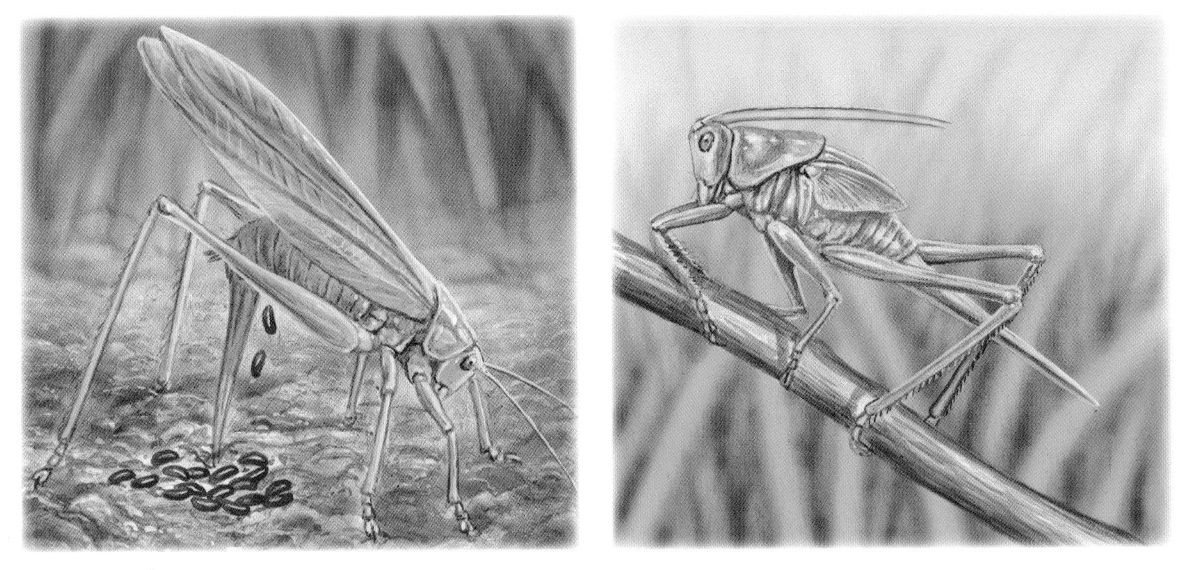

À l'aide de sa tarière, une espèce de long tube, la sauterelle creuse un trou pour y déposer ses œufs. Les petits changeront plusieurs fois de peau avant d'avoir leur taille adulte.

La sauterelle verte est difficile à repérer, car elle se confond avec l'herbe, qui offre un bon camouflage. Elle ne vit pas très longtemps : elle meurt après la ponte de ses œufs.

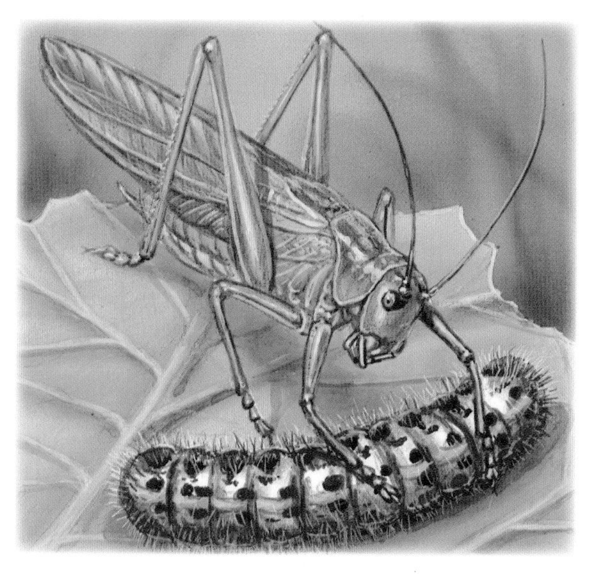

La sauterelle mange surtout de l'herbe et des feuilles, mais parfois aussi des insectes et des chenilles.

Prisonnière de la toile d'une araignée, la sauterelle ne pourra pas s'échapper.

Le mâle est reconnaissable : contrairement à la femelle, il n'a pas de tarière sur l'arrière-train.

Cette autre espèce de sauterelle a les ailes grises, tachetées de noir et de marron.

LES CRIQUETS

On les confond avec les sauterelles, mais les criquets ont des antennes plus courtes. Ils chantent en frottant leurs pattes contre leurs ailes.

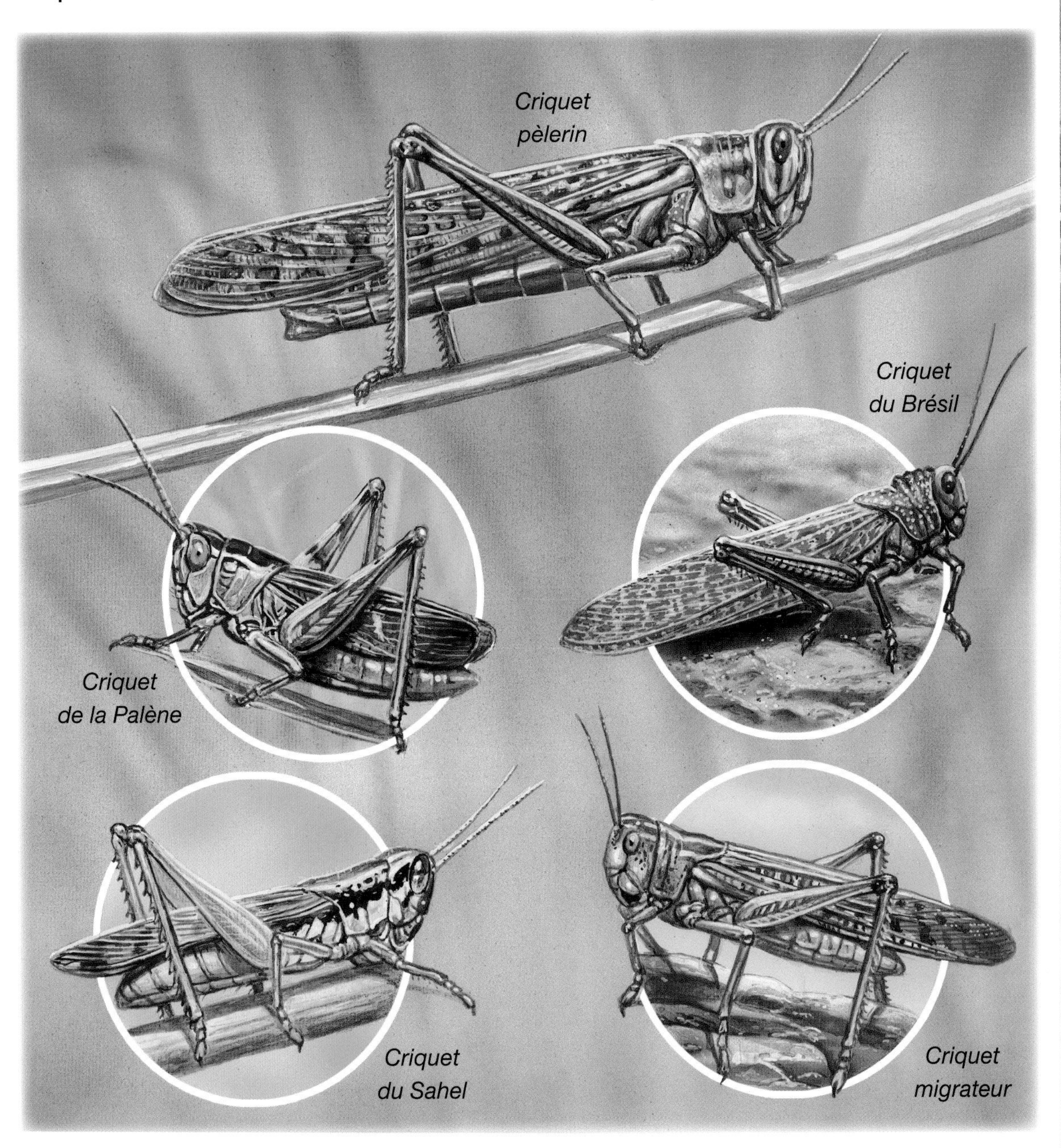

Il en existe de nombreuses espèces. On les rencontre dans les prairies sèches des régions chaudes.

UN INSECTE RAVAGEUR

Lorsqu'ils se regroupent, les criquets sont une grande menace pour l'agriculture, notamment dans certaines régions d'Afrique.

Un essaim de criquets ravageurs compte des millions d'individus. En général, les criquets volent le jour et se posent la nuit pour manger.

Quand l'essaim s'abat sur un champ, les conséquences sont catastrophiques. En un rien de temps, les feuilles sont dévorées. Rien ne résiste aux criquets. C'est une calamité pour les paysans, qui perdent toute leur production en quelques secondes.

LE GRILLON

Il est connu pour son chant, produit par le frottement de ses ailes l'une contre l'autre. C'est un solitaire, qui aime le soleil.

Il se nourrit de végétaux qu'il trouve tout autour de son trou. Il lui arrive aussi de dévorer quelques petits insectes.

Il vit dans un trou où il dort tout l'hiver, ne sortant qu'au printemps.

On peut élever des grillons chez soi, dans une cage en verre.

LA LIBELLULE

C'est un des insectes les plus gros et les plus rapides. Elle peut voler à près de 60 km/h grâce à son corps tout fin et à ses grandes ailes.

La tête de la libellule peut tourner dans tous les sens, ce qui est pratique pour observer les insectes dont elle se nourrit. De plus, ses deux gros yeux constitués de milliers de facettes lui permettent de voir parfaitement. Ses deux grandes ailes ne se rabattent pas vers l'arrière lorsqu'elle se pose.

Accouplement

Larve attrapant un têtard

Dès le mois de mai, le mâle et la femelle s'accouplent. Puis la femelle pond ses œufs dans l'eau. Il en sort des larves qui vont vivre là plusieurs mois. Elles sont très voraces.

La larve cache sous sa tête un organe très bizarre appelé masque, muni de deux pinces qu'elle projette en avant lorsqu'elle veut attraper un petit poisson ou un têtard.

À mesure qu'elle grandit, la larve change plusieurs fois de peau. Puis, un jour, elle sort de l'eau et grimpe sur une tige. Quelque temps après, sa peau se craquelle et une libellule apparaît.

La libellule se nourrit surtout de nombreux insectes.

La demoiselle ressemble à la libellule, mais elle est plus petite.

LES PAPILLONS

Ce sont les insectes les plus connus. Il y en a de tout petits, de quelques millimètres, et de géants, de plus de trente centimètres !

Il y a deux sortes de papillons : ceux qui vivent le jour et ceux qui vivent la nuit. Leurs ailes colorées sont couvertes d'écailles qui intensifient leur éclat. Ces insectes ont une vie très courte.

LA REPRODUCTION DES PAPILLONS

Pour attirer le mâle, la femelle libère dans l'air une sorte de parfum qu'il capte grâce à ses antennes.

L'accouplement a lieu sur une fleur. Les deux papillons se tournent le dos. Quelque temps plus tard, la femelle dépose ses œufs sur une feuille. Beaucoup seront mangés par les oiseaux.

De chaque œuf sort une chenille qui a un appétit d'ogre et grossit très vite. Elle change souvent de peau, puis, un jour, elle se fixe et se transforme en une nymphe à l'intérieur de laquelle se développe un papillon.

LA VIE DES CHENILLES

Il y en a de toutes les couleurs et de toutes les formes.
Ce sont des proies faciles, mais elles savent se défendre.

Pour se protéger, certaines chenilles restent à l'abri dans les racines ou les tiges des végétaux. D'autres se confondent avec les plantes sur lesquelles elles vivent et d'autres encore ont des épines très piquantes.

Les chenilles sont de grosses mangeuses de feuilles.

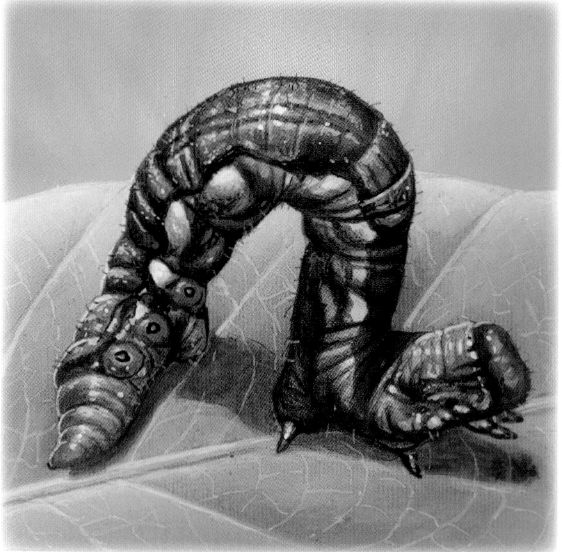

Le corps de la chenille peut se tortiller dans tous les sens.

LA VIE DES PAPILLONS

Les papillons ont une petite tête munie d'antennes grâce auxquelles ils sentent les odeurs et reconnaissent les fleurs.

Avec sa trompe, le papillon aspire le nectar des fleurs.

Ce papillon de nuit se confond avec le tronc sur lequel il est posé.

La chauve-souris est l'ennemie des papillons de nuit. Un autre danger : les toiles d'araignée. Impossible de s'en libérer !

LES PAPILLONS DE PETITE TAILLE

Ces insectes ont une envergure inférieure à 2 cm.

Sitochroa

Agapeta zoegana

Cacoecimorpha

Pyrale de l'ortie

La plupart de ces papillons ont des chenilles ravageuses qui détruisent les plantes sur lesquelles elles vivent en dévorant leurs feuilles.

Tordeuse du chêne

Pyrale du maïs

Brephidium exilis

LES PAPILLONS DE GRANDE TAILLE

Ces beaux spécimens ont une envergure d'environ 30 cm.

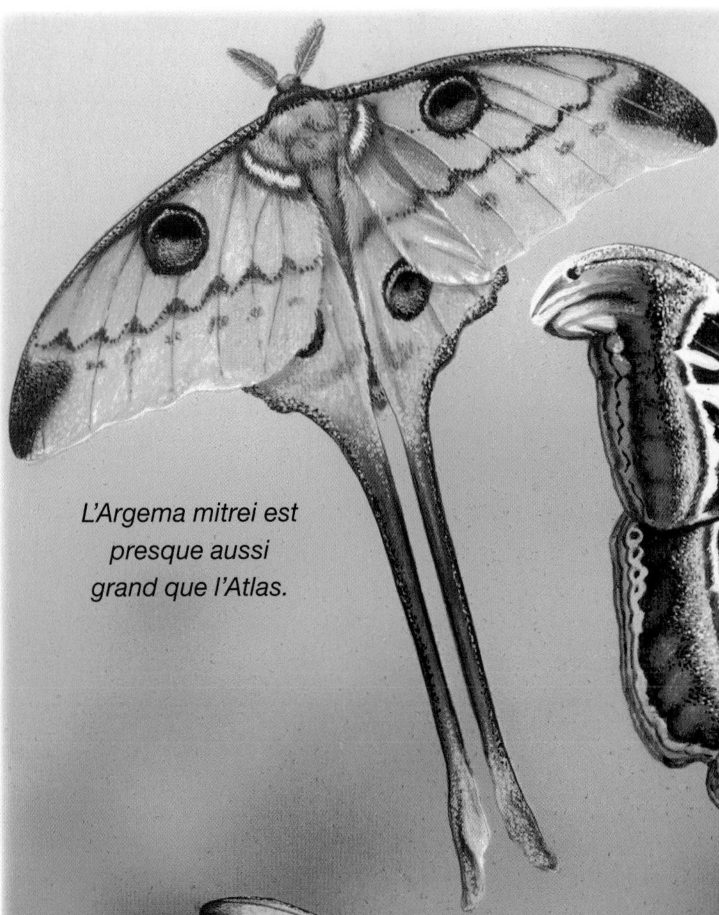

Le plus grand papillon de nuit est l'Atlas.

L'Argema mitrei est presque aussi grand que l'Atlas.

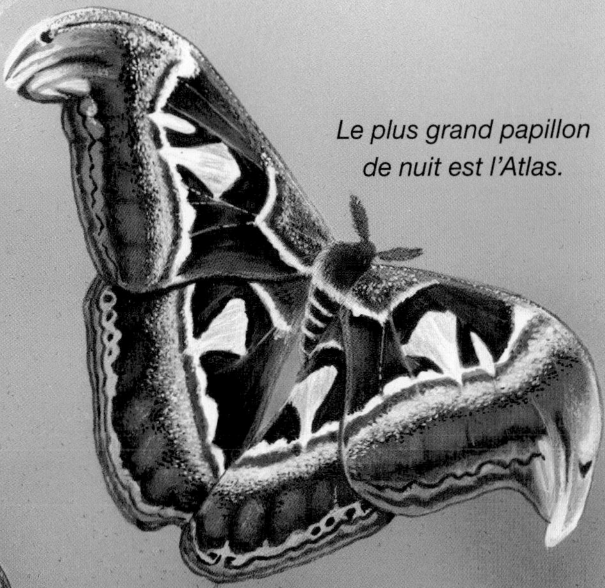

Le plus grand papillon de jour est le reine Alexandra Birdwing.

LES MILLE-PATTES

Ces petites bêtes vivent dans le sol, sous les pierres, dans les endroits humides, dans le bois mort et en décomposition.

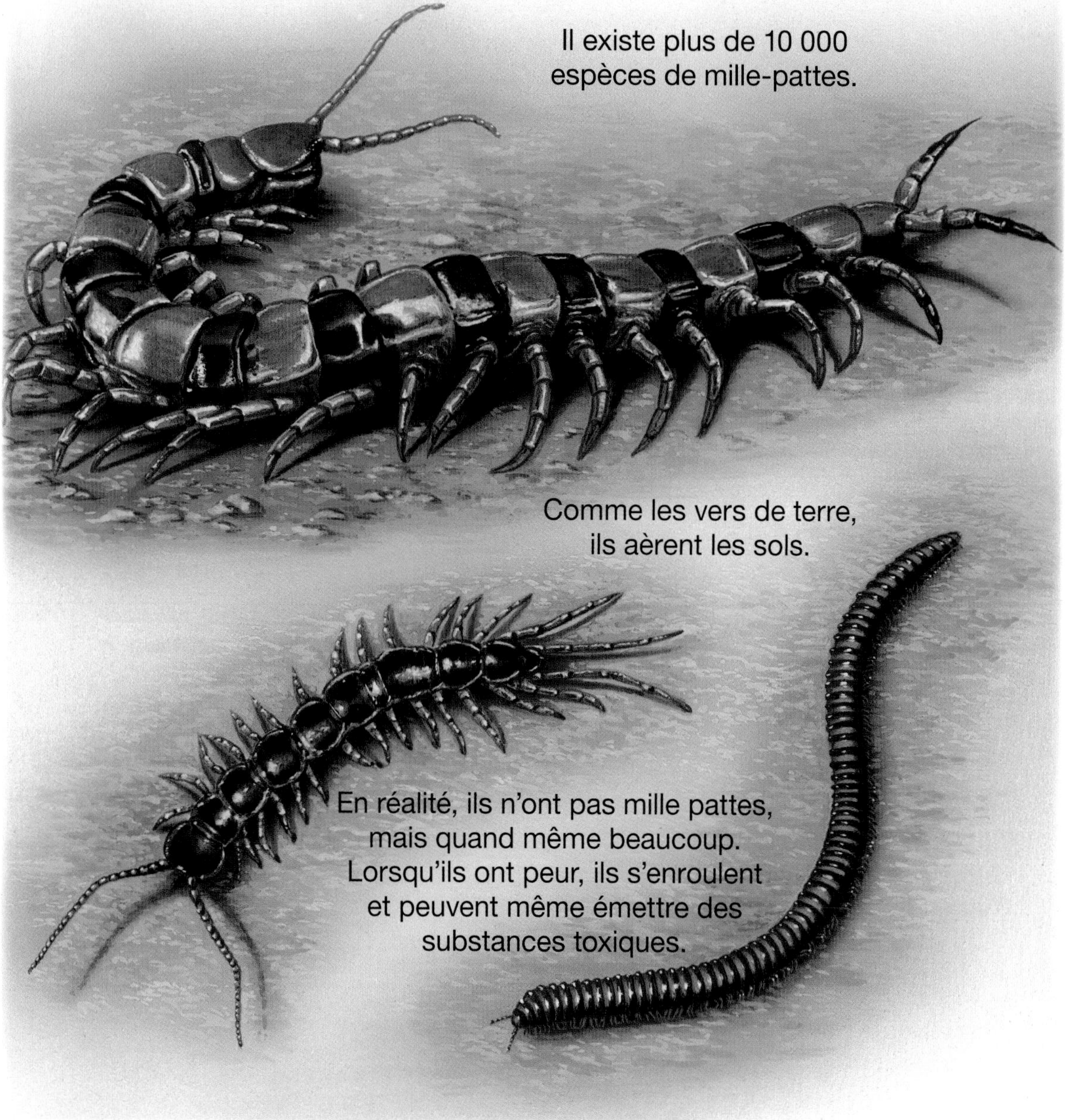

Il existe plus de 10 000 espèces de mille-pattes.

Comme les vers de terre, ils aèrent les sols.

En réalité, ils n'ont pas mille pattes, mais quand même beaucoup. Lorsqu'ils ont peur, ils s'enroulent et peuvent même émettre des substances toxiques.

Les mille-pattes se nourrissent de débris contenus dans les sols, de racines et de graines qui poussent dans les champs.

LES PERCE-OREILLES

Ils tiennent leur nom des pinces qu'ils ont à l'extrémité de leur corps et qui ressemblent à l'outil utilisé autrefois pour percer les oreilles.

Perce-oreille femelle

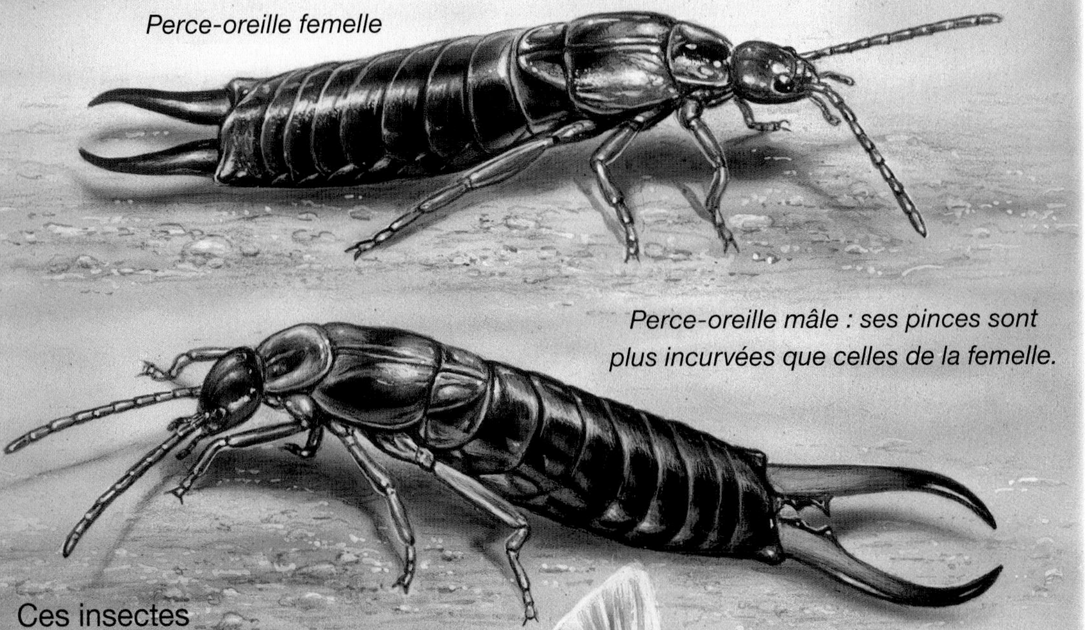

Perce-oreille mâle : ses pinces sont plus incurvées que celles de la femelle.

Ces insectes sortent la nuit. Le jour, ils dorment dans des endroits obscurs.

Ils se nourrissent de pollen, de fruits, de feuilles et de petits insectes.

Quand ils entrent dans les maisons, ils apprécient la chaleur et les restes de nourriture.

Perce-oreille avec les ailes déployées

LA REPRODUCTION DES PERCE-OREILLES

L'accouplement a lieu en automne. La femelle pond ses œufs dans une sorte de petit terrier en hiver. Ils éclosent au printemps.

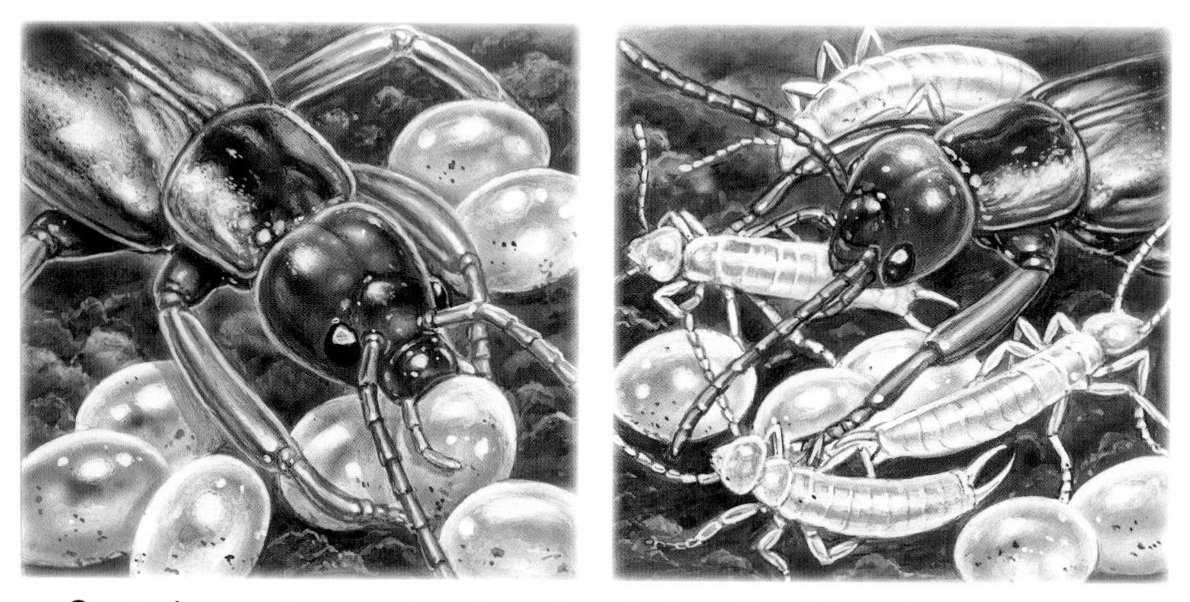

Contrairement aux autres insectes, la femelle n'abandonne pas ses œufs. C'est une vraie maman, qui s'occupe bien de ses petits.

Les larves changent de peau plusieurs fois avant d'atteindre leur taille adulte. Pour les alimenter, la femelle capture des insectes.

LES PUNAISES

Ce sont des insectes très colorés. Leurs belles couleurs indiquent à leurs ennemis qu'elles sont toxiques.

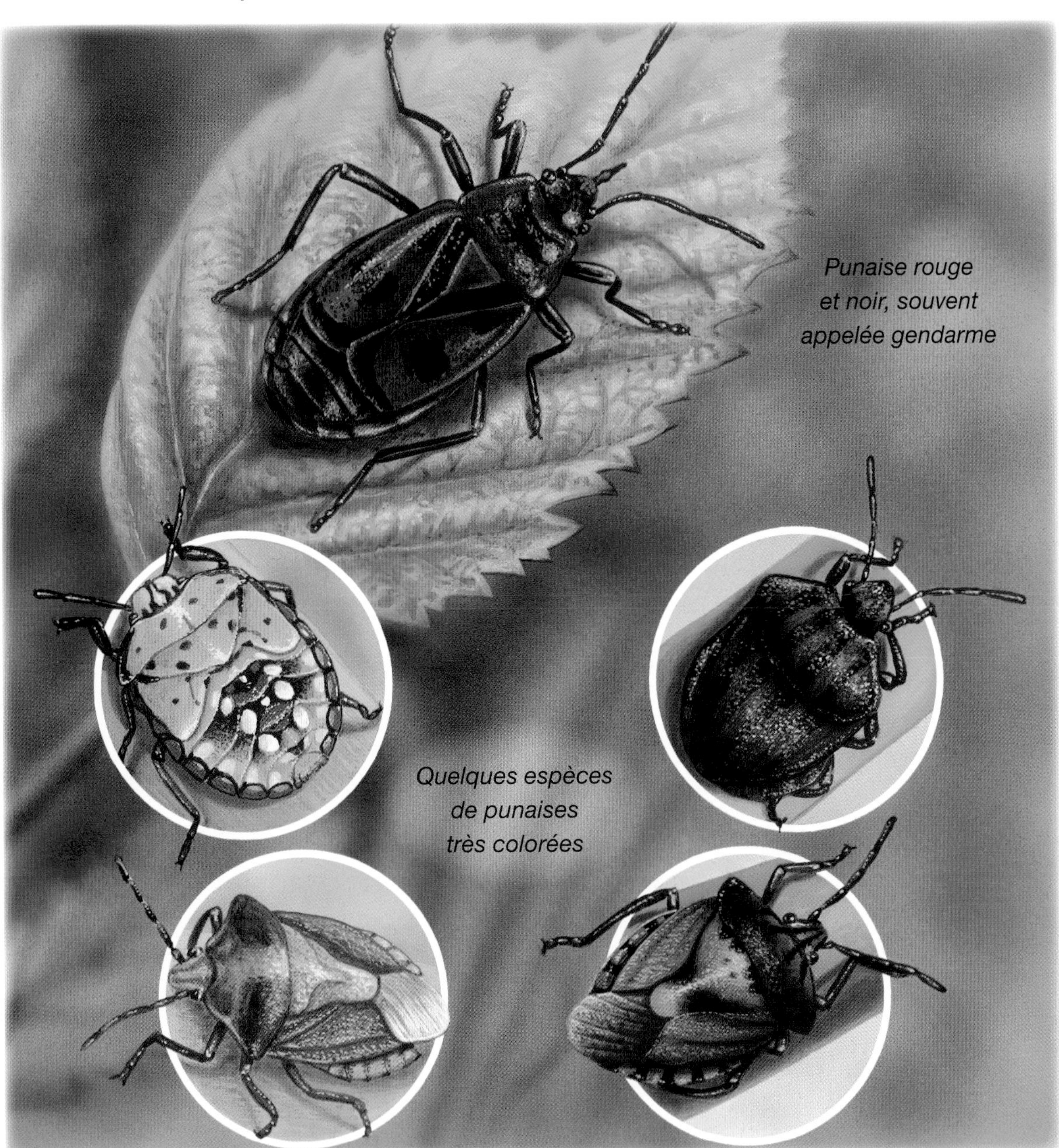

Selon les espèces, elles vivent sur des plantes différentes dont elles sucent la sève. Elles se nourrissent aussi de petits insectes.

LA REPRODUCTION DES PUNAISES

On peut observer leur accouplement dans la nature, car il dure plusieurs heures, voire plusieurs jours, ce qui est exceptionnel chez les insectes.

La femelle pond sur la plante qui l'abrite. Les petits sont de couleurs différentes de celles des adultes et changent de peau en grandissant.

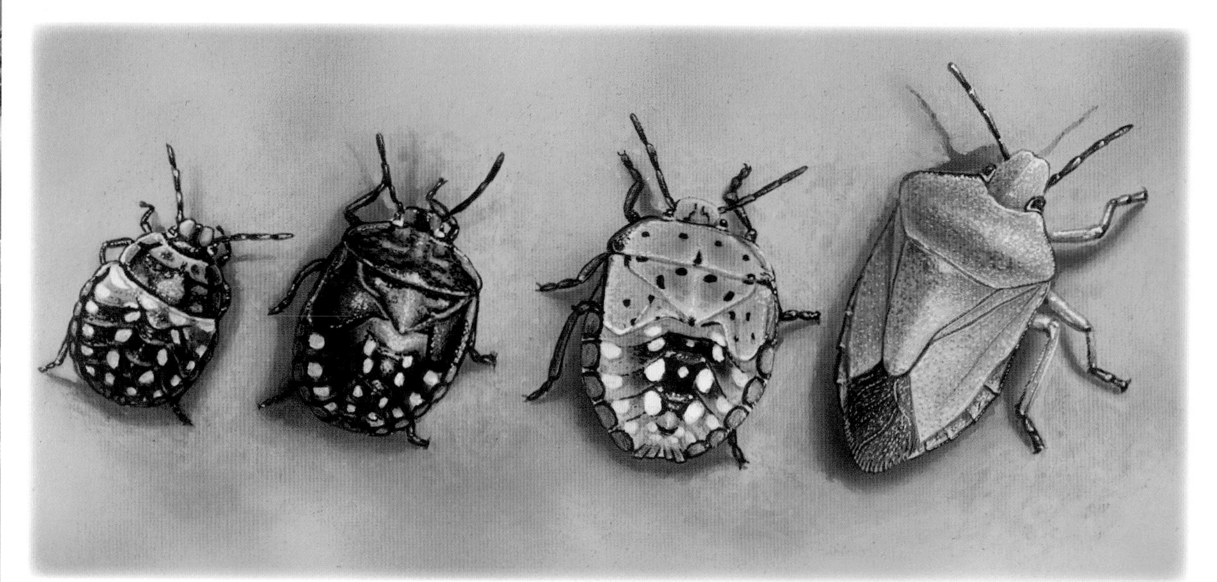

Évolution du bébé de la punaise verte à différents stades de sa croissance. À noter : les changements de couleur.

LES TERMITES

Ce sont des insectes qui vivent en colonies composées de groupes différents physiquement et ayant chacun un rôle bien précis.

Les reproducteurs ailés sont visibles en période de reproduction. Ils se déplacent en essaims et perdent leurs ailes après l'accouplement.

La reine pond des milliers d'œufs par an. Elle peut vivre très longtemps : plus de 20 ans. Un roi reste auprès d'elle pour la féconder.

Les soldats défendent la colonie à l'aide de leurs puissantes mandibules, qui sont des armes redoutables.

Ouvrier

Soldat

Nymphe

Œufs

Les ouvriers sont les plus nombreux. Ils cherchent la nourriture pour la colonie et prennent soin des œufs, des nymphes, et nettoient la termitière. Les soldats protègent la colonie des ennemis extérieurs, en particulier des fourmis.

Les termites sont des insectes très nuisibles, car ils se nourrissent de bois. Quand ils s'introduisent dans les maisons, ils causent d'énormes dégâts, s'attaquent aux cloisons, meubles, portes...

Les termites sont d'incroyables bâtisseurs qui peuvent construire des termitières géantes aux formes étonnantes.

Les termites creusent des galeries dans le bois. Ces dégâts sont causés par les ouvriers, qui fuient la lumière et sont donc difficiles à voir.

LES MOUSTIQUES

Ces insectes ont deux ailes seulement. L'adulte ne vit que deux ou trois semaines. Ils sont présents partout sur la planète.

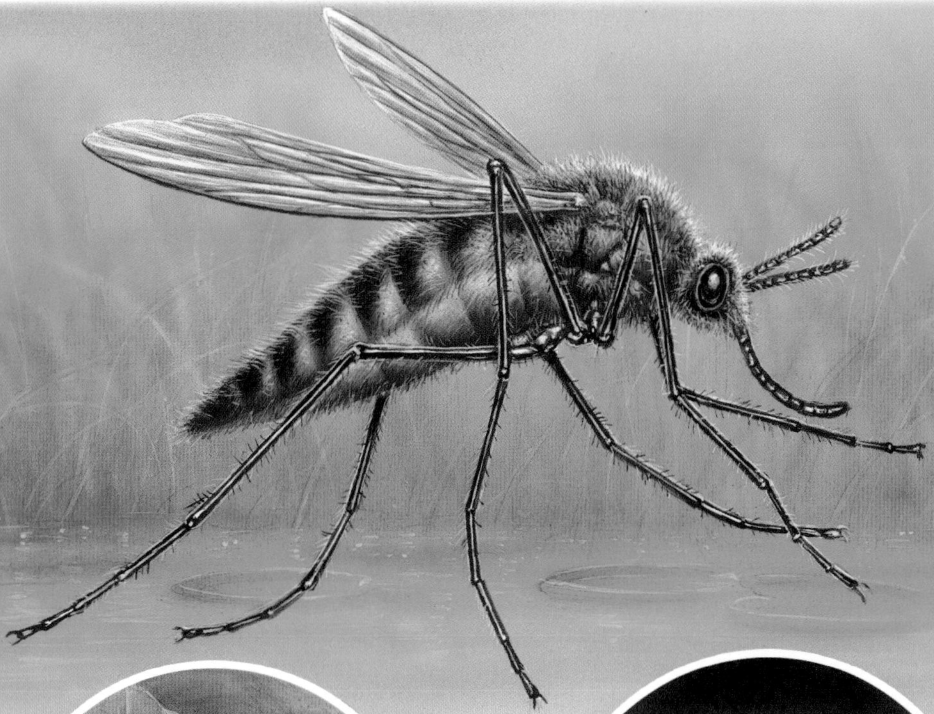

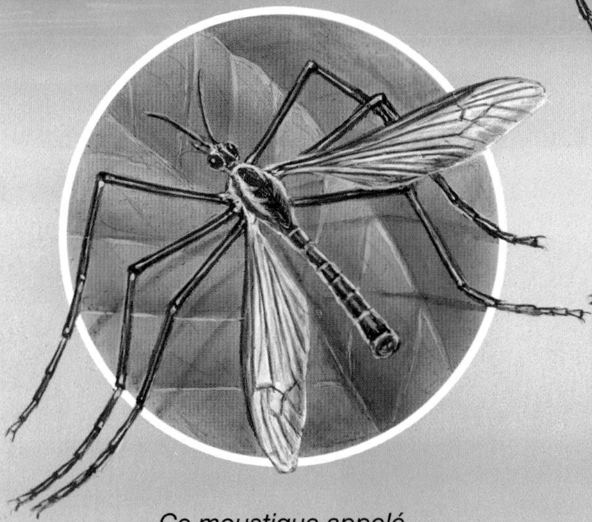

Ce moustique appelé cousin est plus grand que les moustiques ordinaires et son corps est plus fin.

Seule la femelle pique. Elle absorbe le sang dont elle a besoin pour faire grossir ses œufs. Le mâle, lui, se nourrit de nectar et de pollen.

LA REPRODUCTION ET LES ENNEMIS

Les moustiques sont particulièrement présents près des points d'eau et dans les endroits humides, car c'est là qu'ils se reproduisent.

Après l'accouplement, la femelle pond ses œufs, qui restent à la surface de l'eau. Quelques jours plus tard sortent des larves, qui vont muer avant de se transformer en nymphes, puis en moustiques.

Les nombreuses larves sont des proies faciles pour les poissons.

Les principaux ennemis des moustiques sont les oiseaux.

LES MOUCHES

On les trouve partout sur la planète. Leur corps est couvert de poils qui leur permettent de capter les informations du monde extérieur.

Mouche domestique

Mouche du bétail

Mouche à viande

La mouche a deux gros yeux qui lui permettent de voir partout et une trompe avec laquelle elle aspire la nourriture.

Mouche de Hesse, qui ressemble à un petit moustique

Mouche tsé-tsé

LA REPRODUCTION DES MOUCHES

Les mouches naissent en été et vivent deux mois environ. Certaines dorment tout l'hiver, pour se réveiller au printemps.

Après l'accouplement, la mouche pond ses œufs. Selon les espèces, ceux-ci sont déposés sur de la nourriture, des plantes, des animaux morts ou du fumier.

Peu de temps après la ponte, les petites larves, connues sous le nom d'asticots, sortent des œufs. Elles changent plusieurs fois de peau et se transforment en des sortes de grains de riz marron, d'où sortiront des mouches.

Les mouches ont une alimentation variée, mais liquide. Elles cherchent leur nourriture aussi bien sur les ordures, le fumier, les animaux morts que sur des aliments comme la viande.

Elles aiment aussi les aliments sucrés comme les confitures.

Trop nombreuses sur une bête, elles peuvent la rendre nerveuse.

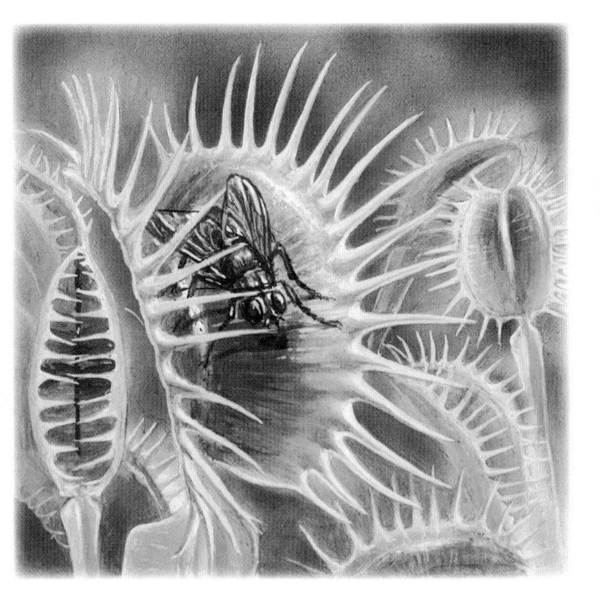

Les plantes carnivores sont des pièges pour les mouches.

Orchidée ophrys mouche

Cette fleur s'appelle ainsi à cause de sa ressemblance avec l'insecte.

LES TAONS

Ce sont des espèces de grosses mouches. Seule la femelle pique, car elle se nourrit de sang ; le mâle butine les fleurs.

Les taons ont des teintes qui vont du noir au gris. Leur abdomen présente souvent des dessins de couleur.

Taon noir

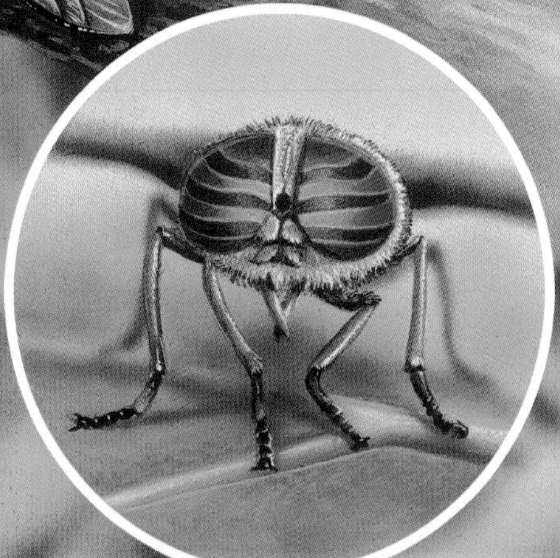

La tête est impressionnante avec ses gros yeux. Seules les femelles ont des mandibules très développées lui permettant de découper la peau.

On dit qu'une vache peut devenir folle si elle est piquée par plusieurs taons ! Une chose est sûre, leurs piqûres sont douloureuses et peuvent transmettre des maladies.

LA MANTE RELIGIEUSE

Cet insecte n'est pas facile à voir, car il reste souvent immobile et se confond avec la plante sur laquelle il vit.

Pour intimider un ennemi, la mante religieuse déploie ses ailes. Mais elle s'en sert rarement pour voler. Ses pattes avant, garnies d'épines, lui servent à attraper ses proies.

LA REPRODUCTION

L'accouplement a lieu en automne. Au printemps, des larves naissent. Elles ressemblent aux adultes et changent de peau en grandissant.

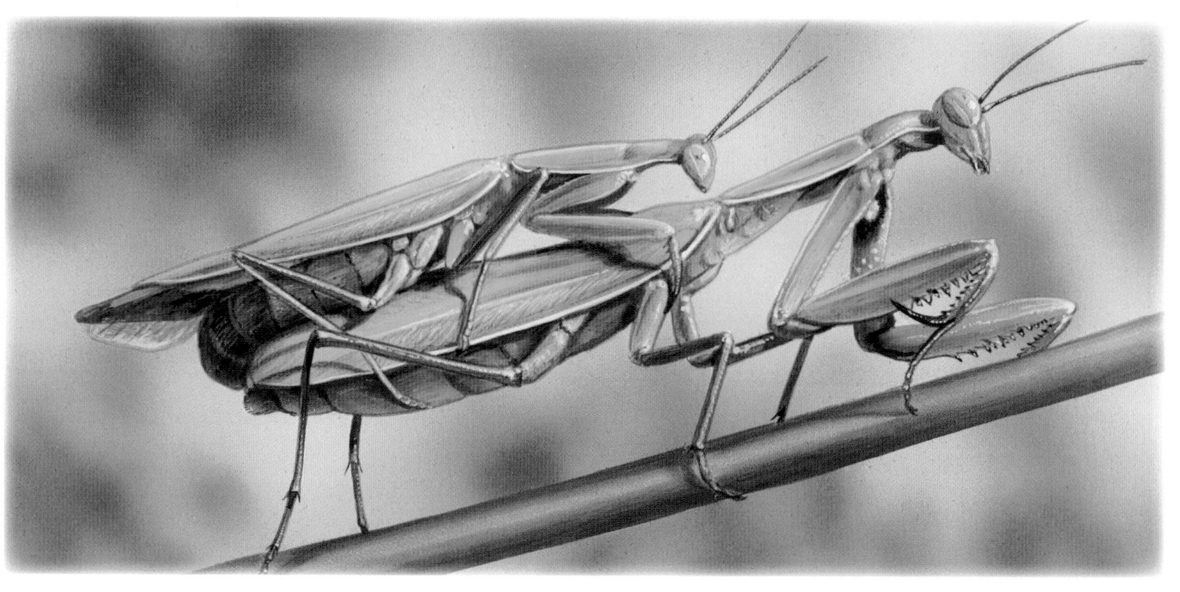

Le mâle, plus petit que la femelle, s'approche par derrière. La femelle pense alors qu'il s'agit d'un ennemi.

Du coup, elle le dévore sans pitié pendant ou après l'accouplement.

Les œufs sont dans une sorte de cocon. Ils passeront l'hiver au chaud.

DIFFÉRENTES MANTES RELIGIEUSES

Toutes les mantes ne sont pas vertes ; certaines ont de très jolies couleurs. Mais toutes chassent des proies vivantes pour se nourrir.

La mante religieuse chasse à l'affût. Elle attend ses proies sans bouger et fonce dessus dès qu'elles sont à sa portée pour les dévorer vivantes.

LES PHASMES

Il y a deux sortes de phasmes : des insectes « bâtonnets », au corps allongé et tout fin, et des insectes « feuilles », au corps plus large.

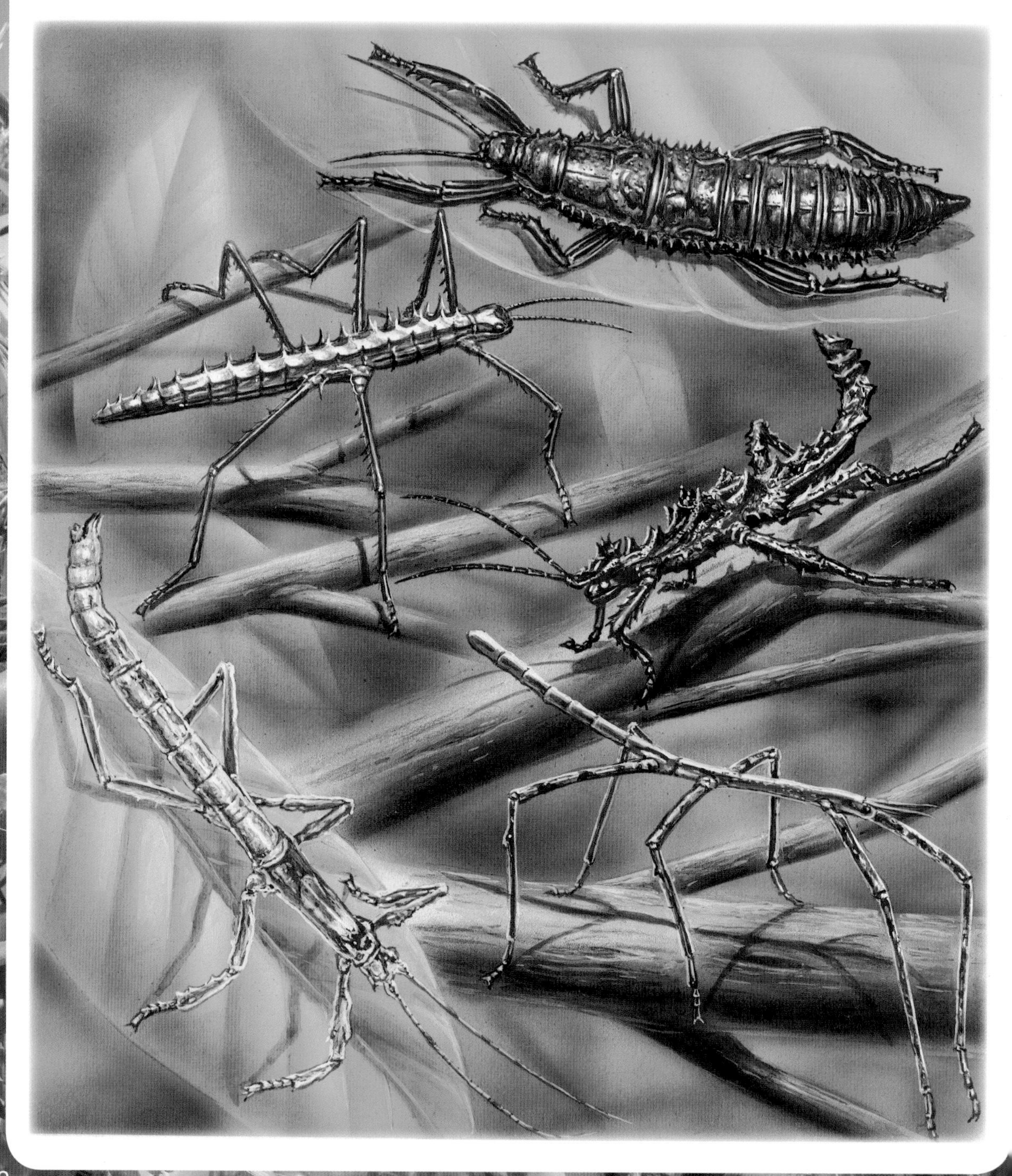

Ces insectes peuvent atteindre des dimensions impressionnantes : jusqu'à 30 cm ! Leurs formes bizarres, rappelant des brindilles ou des feuilles, leur permettent de se camoufler dans la nature.

LA REPRODUCTION ET LA DÉFENSE

Chez certains phasmes, il n'y a pas de mâle. La femelle a la possibilité de féconder ses œufs elle-même.

Quand le mâle existe, il est souvent très différent de la femelle. Les bébés ne sont pas de la même couleur que les adultes.

Leurs moyens de défense sont divers : faire le mort en se laissant tomber au sol, s'immobiliser, comme ce phasme brindille qui se confond avec la branche, prendre la position du scorpion en redressant son abdomen pour intimider l'ennemi, ou projeter un liquide toxique...

LES ÉPHÉMÈRES

Parfois, en été, il y en a beaucoup, mais le lendemain ils ont disparu, d'où leur nom. À l'âge adulte, ils ne vivent qu'un jour ou deux.

Cet insecte a une vie si courte qu'il ne mange pas. Il est la proie des oiseaux et des chauves-souris.

Les larves vivent dans l'eau pendant deux ou trois ans, se nourrissant de végétaux.

LES GERRIS

Ces insectes courent à la surface de l'eau. On les appelle aussi punaises ou araignées d'eau. Ils peuvent piquer si on les attrape.

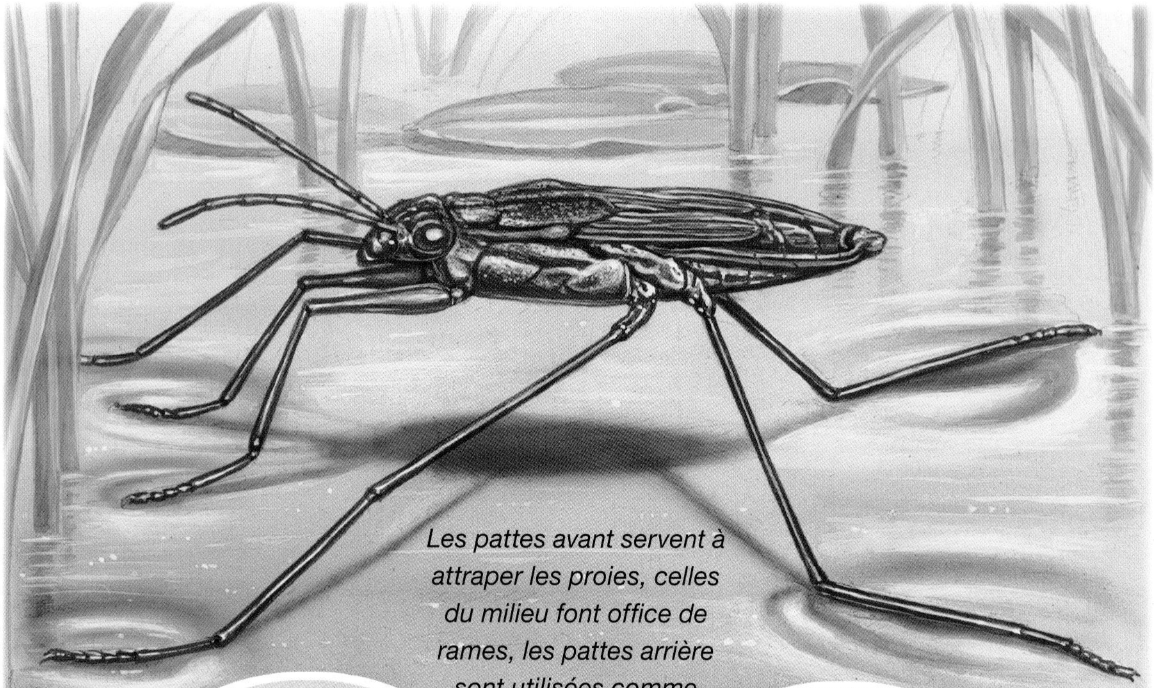

Les pattes avant servent à attraper les proies, celles du milieu font office de rames, les pattes arrière sont utilisées comme gouvernail.

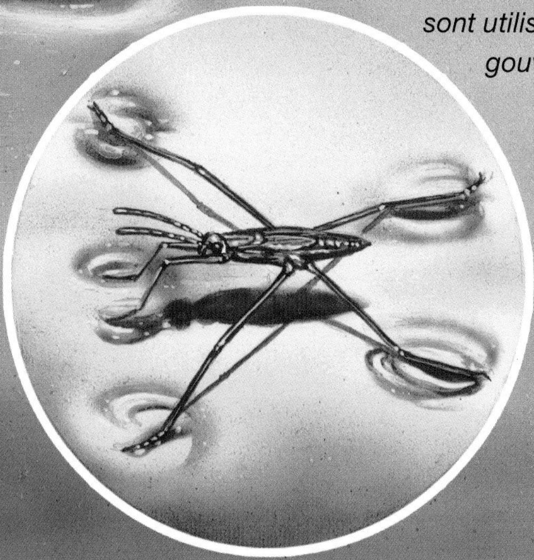

Les extrémités de leurs pattes possèdent des coussinets huileux qui leur évitent de s'enfoncer dans l'eau.

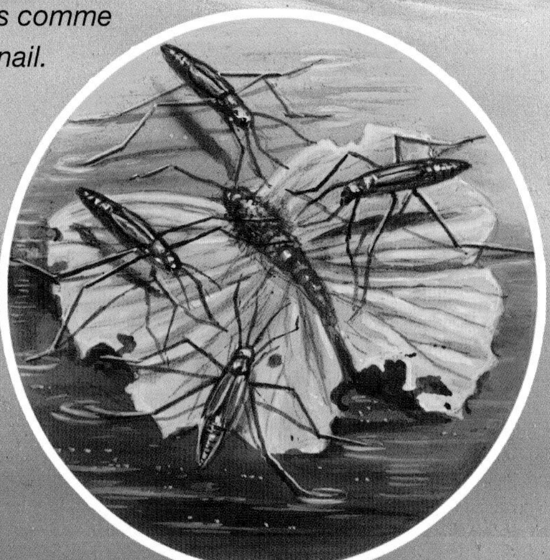

Ils se nourrissent d'insectes tombés à la surface de l'eau.

LES BLATTES

On trouve parfois ces insectes, appelés aussi cafards, dans les habitations, où ils recherchent leur nourriture.

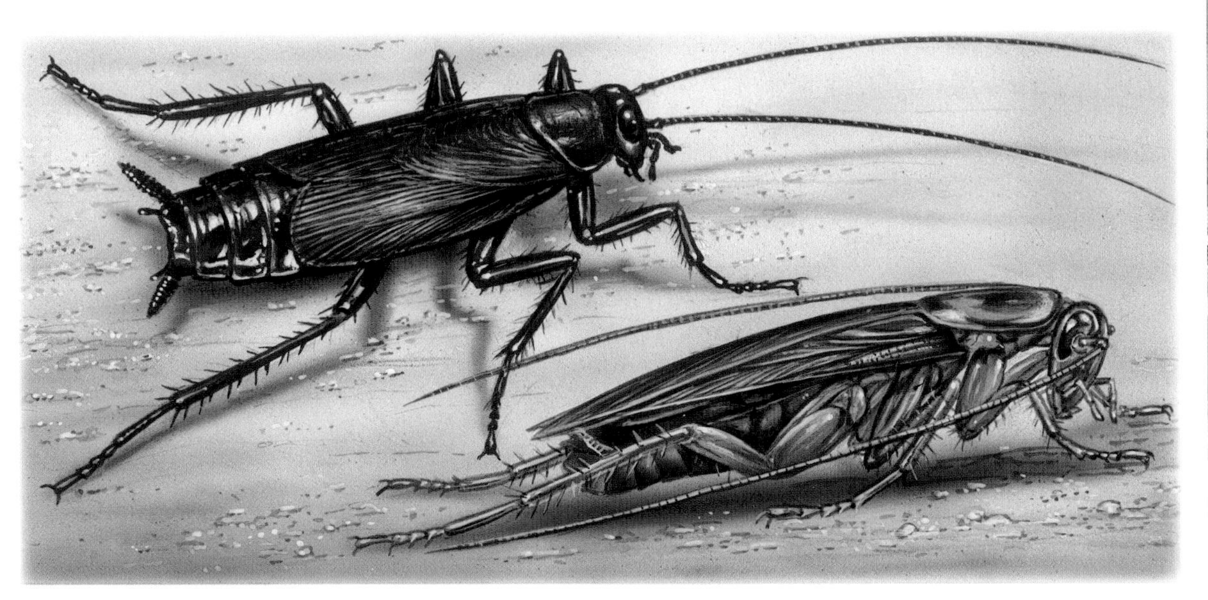

Les cafards vivent en groupes. Ils ont de longues pattes fines qui leur permettent de se déplacer très vite et ils n'aiment pas la lumière.

Les femelles pondent des sortes de cocons contenant plusieurs dizaines d'œufs.

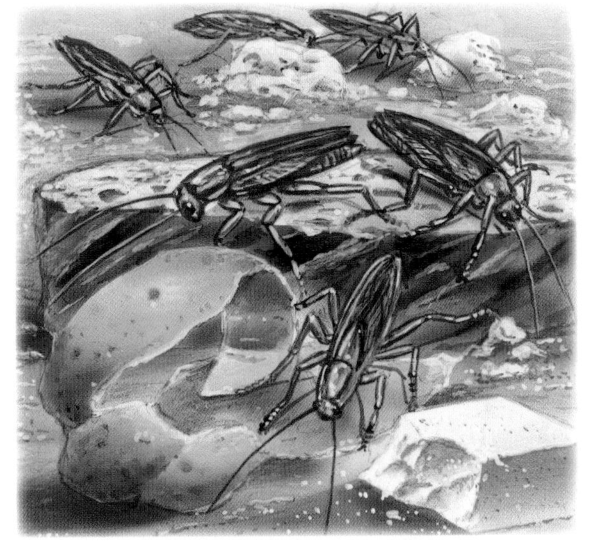

Les cafards aiment tout : les restes de nourriture comme les détritus.

LES LÉPISMES

Appelés aussi poissons d'argent, ces insectes se trouvent dans les endroits humides et poussiéreux des habitations.

Les lépismes grignotent le papier et les débris alimentaires mélangés aux poussières.

LES ARAIGNÉES

Il en existe des milliers d'espèces différentes. Elles sont présentes partout, au sommet des montagnes comme au fond de l'eau.

Certaines araignées colorées se confondent avec le milieu dans lequel elles vivent.

LES TECHNIQUES DE CHASSE

Les araignées se nourrissent d'insectes vivants et se mangent parfois entre elles. Les plus grosses peuvent attaquer des oiseaux ou des rats !

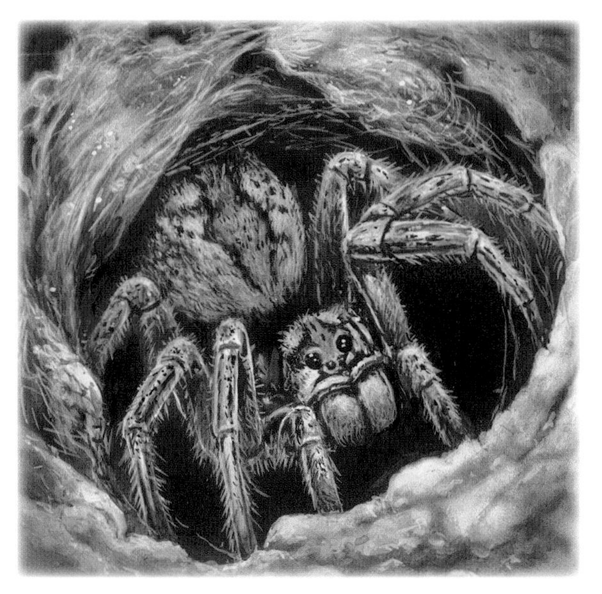

De son terrier, cette araignée guette le passage d'une proie.

Cette autre immobilise sa proie et la dévore encore vivante.

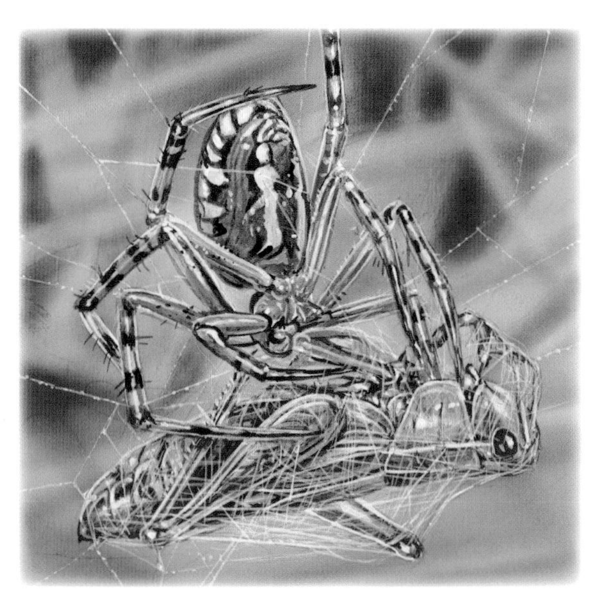

Certaines enveloppent leur proie dans des fils de soie.

D'autres, pour se défendre ou pour intimider l'ennemi, se redressent.

LES TOILES D'ARAIGNÉE

Beaucoup d'araignées tissent des toiles qui leur servent d'habitat, mais aussi de pièges pour les insectes qu'elles mangent.

Certaines araignées vivant en colonies tissent des toiles géantes.

Cette maman araignée a tissé une toile pour y élever ses petits.

La construction d'une toile est très précise. L'araignée commence par faire un cadre, puis elle tend des fils comme des rayons à partir du centre. La toile est reconstruite chaque jour pratiquement au même endroit.

LES SCORPIONS

Il en existe de nombreuses espèces. Les scorpions n'attaquent pas l'homme, mais ils peuvent le piquer s'ils sont surpris.

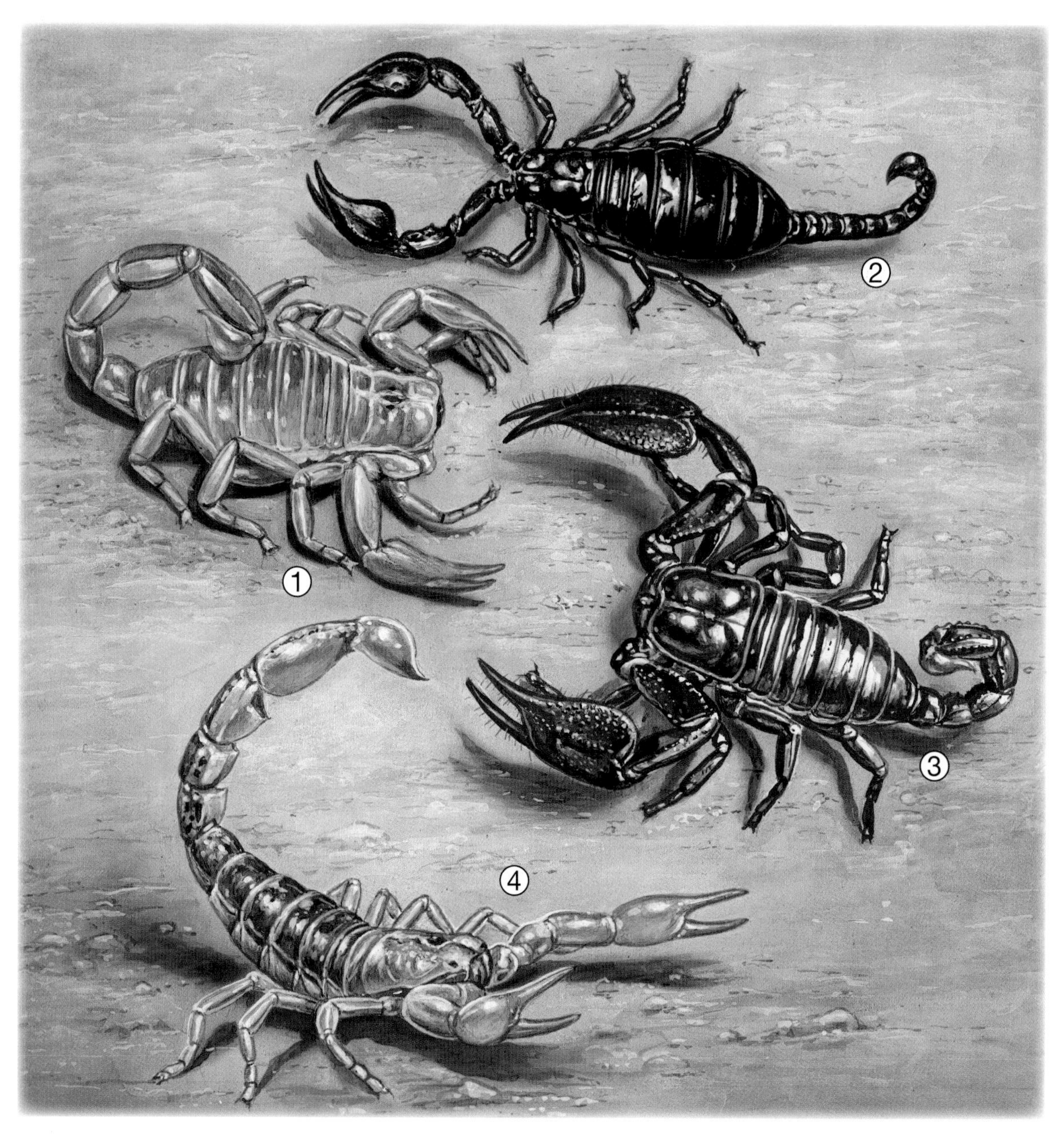

1 - Ce scorpion peut être très dangereux pour l'homme. Il est présent en Amérique du Nord. 2 - Ce scorpion est courant en Europe et n'est pas dangereux. 3 - Scorpion d'Asie. 4 - Scorpion des déserts.

Les scorpions appartiennent à la même famille que les araignées. Ils sont actifs surtout la nuit. Ils vivent dans les endroits arides et peuvent s'introduire dans les habitations.

Les scorpions se nourrissent principalement d'insectes vivants qu'ils paralysent en leur injectant du poison à l'aide de leur aiguillon. Mais, très souvent, ils attrapent leur proie avec leurs pinces et la dévorent sans la piquer.

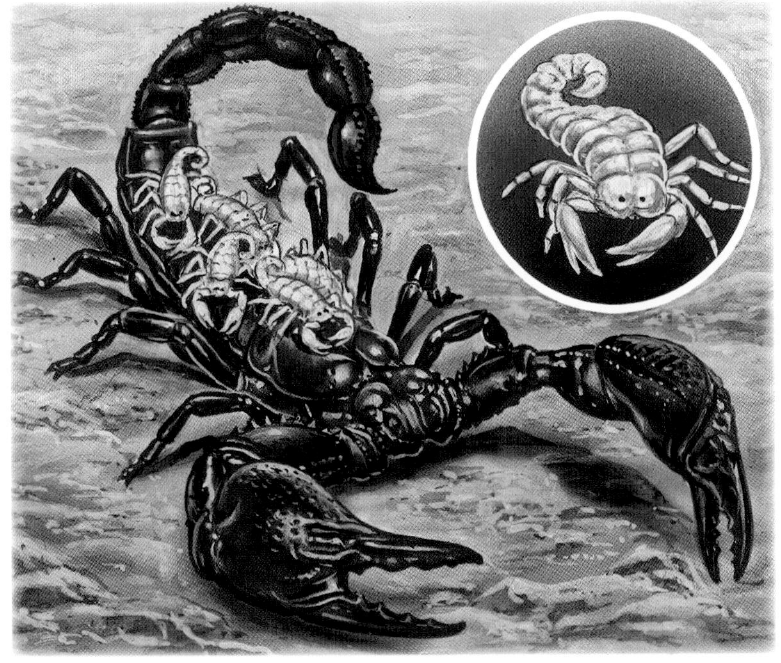

La femelle donne naissance à de nombreux bébés à la fois, qu'elle transporte sur son dos pendant cinq à vingt-cinq jours. Les petits changent plusieurs fois de peau avant d'avoir leur taille adulte.

LES VERS DE TERRE

Appelés lombrics, les vers de terre ont un corps tout mou, sans squelette. Ils vivent sous terre, où ils creusent des galeries.

Le lombric sort de terre quand il pleut afin de ne pas être noyé dans sa galerie. Il a la faculté de reconstituer une partie de son corps s'il vient à être coupé en deux.

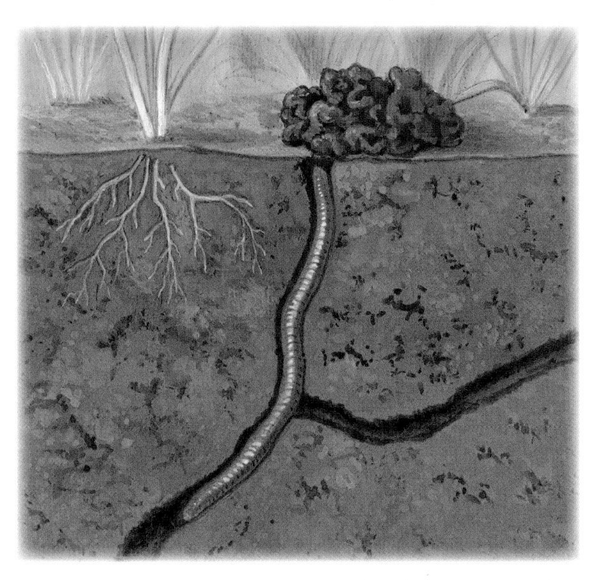

Il se nourrit de végétaux en décomposition dans la terre, qu'il avale en grande quantité et rejette en petits tortillons à la surface du sol. Ses ennemis sont les oiseaux, les taupes, les hérissons…

LES ESCARGOTS

Ils appartiennent à la famille des mollusques. Leur corps tout mou est protégé par une coquille dans laquelle ils se réfugient.

Il existe de nombreuses espèces d'escargots terrestres. Les plus connus sont les petits-gris (1) et les escargots de Bourgogne (2).

LA VIE DE L'ESCARGOT

Au cours de sa vie, l'escargot ne mue pas. À mesure qu'il grossit, sa coquille s'agrandit grâce à une substance qui durcit à l'air.

L'escargot est à la fois mâle et femelle, mais il doit quand même s'accoupler. Les œufs sont déposés dans la terre. Trois semaines plus tard, les bébés naissent et remontent à la surface.

L'escargot mange des feuilles, des fruits. Sa langue est munie de milliers de dents.

Quand il hiverne, il ferme sa coquille avec une membrane très dure.

L’escargot a besoin d’eau pour produire la bave qui recouvre et protège son corps. En cas de sécheresse, il se réfugie dans sa coquille, la ferme avec une fine membrane et attend la pluie.

L’escargot se déplace en rampant grâce à son pied, qui est un muscle.

L’escargot laisse derrière lui une traînée de bave.

La bave permet à l’escargot d’avancer plus facilement, de se tenir la tête en bas et de passer sur des épines sans se blesser.

LES ESCARGOTS QUI VIVENT DANS L'EAU

On trouve également des escargots dans les étangs et les rivières, mais aussi dans la mer, sur les rochers ou sur le fond.

Voici quelques escargots de mer dont on peut retrouver les coquilles sur les plages.

LES LIMACES

Elles sont de la même famille que les escargots mais ne sont pas protégées par une coquille. Elles s'activent la nuit.

La limace sécrète elle aussi une sorte de bave qui protège son corps et le maintient humide. Elle se nourrit surtout de végétaux.

LA REPRODUCTION ET L'ALIMENTATION

Comme l'escargot, la limace est à la fois mâle et femelle, mais elle doit s'accoupler pour faire des petits.

Quelques jours après l'accouplement, la limace pond ses œufs dans un endroit abrité. Les bébés qui naissent sont la réplique des adultes.

La limace est une acrobate. Elle passe d'une tige à l'autre sans difficulté. Dans le jardin, elle se régale des feuilles de salade.

LES LIMACES DE MER

Elles fascinent par leur beauté. Leurs couleurs et leurs formes sont extraordinaires ! Ce sont des animaux étranges et éblouissants.

On dirait des fleurs ! Certaines se nourrissent d'algues, d'autres de petits animaux incrustés dans les rochers.

LES GRENOUILLES

Les grenouilles font partie de la famille des amphibiens, c'est-à-dire des animaux qui vivent à la fois dans l'eau et sur la terre.

Il existe beaucoup d'espèces de grenouilles, des petites et des grosses, ayant des couleurs plus ou moins éclatantes.

LA REPRODUCTION

L'activité des grenouilles dépend de la température. En hiver, elles s'endorment à moitié enterrées, et au printemps elles s'accouplent.

Le mâle appelle la femelle grâce à des chants qu'il obtient en gonflant son sac vocal. L'accouplement a lieu dans l'eau.

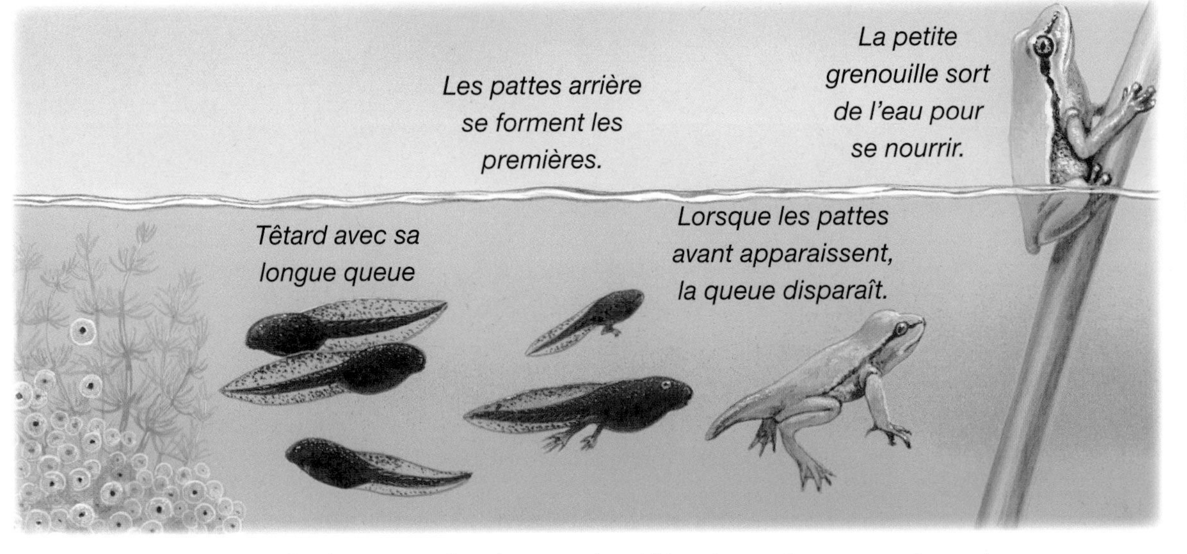

Les œufs donnent des larves, les têtards, qui se nourrissent de plantes microscopiques. La transformation du têtard en grenouille est plus ou moins longue suivant les espèces.

L'ALIMENTATION

La grenouille est carnivore. Elle se nourrit surtout d'insectes, mais certaines espèces peuvent manger des proies plus grosses.

La grenouille attrape les insectes avec sa langue longue et collante.

Grâce à sa grande bouche, elle peut avaler tout rond une souris.

Pour attraper ses proies ou pour fuir un danger, la grenouille fait de grands sauts en déployant ses pattes arrière.

LES MOYENS DE DÉFENSE

Des grenouilles se camouflent dans leur environnement ou changent de couleur ; d'autres ont une peau qui sécrète des substances toxiques.

Grâce à leurs couleurs très vives et repérables, ces grenouilles indiquent à leur ennemi qu'elles sécrètent un poison mortel.

Ces deux gros yeux dessinés sur les fesses font fuir les ennemis.

Cette grenouille se confond parfaitement avec les feuilles.

LA TAUPE

Elle vit surtout sous terre, dans des galeries où elle se reproduit, se nourrit et dort. Elle ne voit pas clair, mais son odorat est très développé.

Ses pattes avant sont de véritables mains munies de puissantes griffes qui lui permettent de creuser.

La taupe a un gros appétit, avalant chaque jour l'équivalent de son propre poids. Elle mange des vers de terre, des larves d'insectes comme celles du hanneton, et tout ce qu'elle trouve en creusant ses galeries.

Selon les espèces, les chauves-souris se nourrissent d'insectes, de fruits, de poisson, de grenouilles, de fleurs ou de sang, comme les vampires, qui s'attaquent à des vaches, des chevaux ou des cochons.

Pendant l'hiver, comme les insectes sont rares, elles hibernent. Elles se rassemblent dans des grottes et s'endorment la tête en bas, accrochées au plafond par les pattes.

Des chauves-souris capturent des poissons à la surface de l'eau.

Celles qui mangent des fruits causent de gros dégâts dans les vergers.

LA MUSARAIGNE

Elle est plus petite qu'une souris, son museau est pointu et elle a de tout petits yeux. Elle habite les jardins mais aime aussi les greniers.

La musaraigne vit plutôt seule. Elle hiberne et c'est au printemps qu'elle donne naissance à ses petits. Elle pousse de petits cris aigus.

Chez certaines musaraignes, les petits ont un drôle de comportement. Ils marchent à la queue leu leu derrière leur mère et, en cas de danger, chacun s'agrippe à celui qui est devant lui.

L'ALIMENTATION

La musaraigne doit manger chaque jour son poids en nourriture, car sinon elle peut mourir en quelques heures.

Elle mange des vers de terre, des insectes, des escargots, des araignées et même de petits rongeurs qu'elle tue en les mordant à la nuque.

La musaraigne défend son territoire et n'hésite pas à tuer ses congénères.

Cette musaraigne aquatique plonge pour se nourrir de poisson.

QUELQUES MUSARAIGNES

C'est parmi les musaraignes qu'on trouve les mammifères les plus petits. Il y en a partout dans le monde entier.

Ces deux espèces de musaraignes vivent en Afrique. Celle de droite s'appelle la musaraigne éléphant à cause de sa trompe.

La musaraigne étrusque et la musaraigne pygmée sont les plus petits mammifères connus. Elles mesurent moins de 7 cm, queue comprise.

LE LÉROT

Ce petit mammifère qui entre parfois dans les maisons est reconnaissable à son masque noir et à sa longue queue.

Sa queue est fragile. Elle se détache facilement, ce qui est un moyen de défense contre certains ennemis.

Le lérot chasse surtout la nuit. Il attrape des insectes, des escargots, et grimpe dans les arbres pour voler les œufs dans les nids.

Pendant l'hiver, le lérot s'endort dans une haie, dans un arbre creux ou encore dans un grenier. C'est au printemps que la femelle donne naissance à quatre ou cinq petits, qu'elle va allaiter.

Les petits naissent sans poils. Ils ont leur taille adulte à trois mois.

Bien que carnivore, le lérot aime les fruits, les graines et les bourgeons.

Ses ennemis sont surtout les hiboux et les chouettes.

Pour hiberner, le lérot s'enroule dans sa queue, au creux de son nid.

LE MUSCARDIN

Il est de la taille d'une souris, mais en plus rond. Il se nourrit de framboises et de mûres, de noisettes, et parfois d'insectes et de vers.

Il vit dans un petit nid confortable au creux d'un buisson ou dans un arbre mort. L'hiver, il hiberne.

Les petits naissent à la belle saison. Ils sont allaités pendant quatre semaines environ.

LE RAT DES MOISSONS

Ce petit rongeur vit dans les champs de blé ou d'avoine, ou dans les haies. Il se nourrit de céréales, d'insectes et de fruits.

Il se déplace facilement en s'aidant de sa queue préhensile, qu'il enroule autour des tiges.

Il se construit un nid en forme de boule à plus de 50 cm du sol.

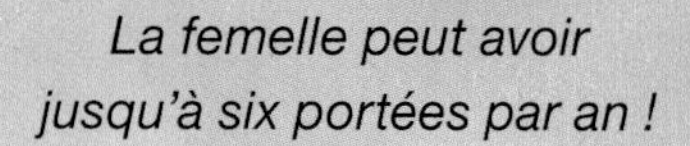

La femelle peut avoir jusqu'à six portées par an !

LE CAMPAGNOL

Il existe des campagnols terrestres, qui vivent dans les prairies, et des campagnols aquatiques, qui vivent sur les berges des rivières.

Les campagnols terrestres mangent des graines, des racines et la partie verte des plantes et des fruits. Ils vivent à plusieurs dans le même nid. Les petits naissent d'avril à octobre.

Le campagnol aquatique se nourrit de plantes qui poussent dans l'eau et parfois de poisson.

Le campagnol creuse des galeries sous les plantes pour en manger les racines.

LES SOURIS

Il y en a partout dans le monde. Elles aiment beaucoup les habitations, où elles trouvent leur nourriture.

Les souris font des dégâts dans les maisons, car elles s'attaquent à tout ce qui se mange, mais aussi aux gaines électriques et aux planchers. La petite souris blanche peut être élevée en cage très facilement.

La souris perce les paquets pour se procurer de la nourriture.

Elle se reproduit très vite. À leur naissance, les petits sont nus.

LE MULOT

Il ressemble à la souris mais n'a pas la même couleur : son ventre est blanc. Il a de plus grandes oreilles et des yeux plus globuleux.

Le mulot, appelé aussi souris des bois, est très agile. Il peut grimper aux arbres, faire des bonds et même nager s'il est en danger. Ses ennemis sont les chats, les belettes, les chouettes, les hiboux, les aigles...

Il se nourrit de graines, de bourgeons, de jeunes plantes, de chenilles, de mille-pattes.

Les petits naissent de fin mars à octobre. Ils sont allaités pendant 20 jours environ.

LES RATS

Plus gros que les souris, les rats sont partout sur la planète. Les rats gris ou rats d'égout vivent en colonies de milliers d'individus.

Rat des plaines

Rat d'égout ou rat gris

Les rats préfèrent les graines, mais ils se nourrissent de tout ce qu'ils trouvent. Ils s'adaptent facilement à tout milieu et forment des colonies plus ou moins nombreuses.

Le rat est un rongeur. Ses dents en biseau sont très coupantes.

Le rat noir : c'est lui qui a répandu la peste dans le monde, causant le décès de millions de gens.

LES LÉZARDS

Ce sont des reptiles dont la peau est couverte d'écailles.
Animaux à sang froid, ils ont besoin de soleil.

Le lézard se nourrit d'insectes, de vers et de larves. Il peut se séparer de sa queue, qui repousse, mais sans être aussi longue qu'auparavant. Grâce à ses puissantes griffes, il grimpe partout.

LA REPRODUCTION DES LÉZARDS

Après l'accouplement, la femelle pond ses œufs au fond d'un trou, puis elle les recouvre de terre et les abandonne.

À la saison de la reproduction, le mâle devient agressif et prend des couleurs vives. Il attrape la femelle par la queue avant de s'accoupler.

À leur naissance, les petits cassent la coquille de leur œuf avec une dent spéciale et se débrouillent tout seuls. Ils ressemblent aux adultes.

Il existe de nombreuses espèces de lézards dans le monde : des petits de 20 cm et des très grands de près de 4 m.

Le lézard des murailles fait partie des petits. Il mesure 20 cm environ, vit dans le sud et se prélasse sur les rochers, les murs de pierre et les rails. Il se cache dans les fentes.

Les lézards sont d'excellents grimpeurs. Ils sont très agiles et se faufilent partout.

En grandissant, ils changent souvent de peau, qu'ils perdent par plaques.

LES COLIBRIS

Ils vivent dans les forêts tropicales du continent américain.
Ce sont les oiseaux les plus petits. Ils mesurent à peine 5 cm.

Le mâle est plus coloré que la femelle. Appelé aussi oiseau-mouche, le colibri a le battement d'ailes le plus rapide de tous les oiseaux : 80 battements par seconde environ. Vu son activité physique, il mange beaucoup : surtout le nectar des fleurs et quelques insectes.

La femelle a des couleurs plus sombres. La période de reproduction a lieu quand les fleurs sont nombreuses. La femelle pond dans un tout petit nid. En fin de journée, les colibris s'endorment d'un sommeil profond et leur rythme cardiaque ralentit.

LES HIPPOCAMPES

Appelé aussi cheval des mers, cet étrange poisson vit dans les coraux. Malheureusement, il est menacé d'extinction.

Les causes de cette extinction sont nombreuses : vente aux touristes, disparition des coraux, utilisation dans la fabrication de médicaments.

LA REPRODUCTION

C'est le papa qui porte les œufs et donne naissance aux petits, un cas unique dans le monde animal.

La parade nuptiale dure plusieurs jours. Le mâle et la femelle se rapprochent et s'accrochent par la queue. Le mâle présente à la femelle une sorte de poche qu'il a sur le ventre et dans laquelle elle dépose ses œufs.

L'accouchement a lieu cinq à six semaines plus tard. Le mâle a des contractions très fortes et il expulse les bébés par petits groupes de quatre ou cinq.

LES CREVETTES

On connaît surtout les crevettes roses et les crevettes grises. Mais il en existe beaucoup d'autres aux formes et aux couleurs étonnantes.

L'accouplement des crevettes ne peut avoir lieu que lorsque la femelle a effectué sa première mue. Elle porte ses œufs collés au ventre jusqu'à leur éclosion.

LE PLANCTON

Également appelé soupe de la mer, le plancton est constitué d'algues minuscules, d'œufs, de larves et d'animaux microscopiques.

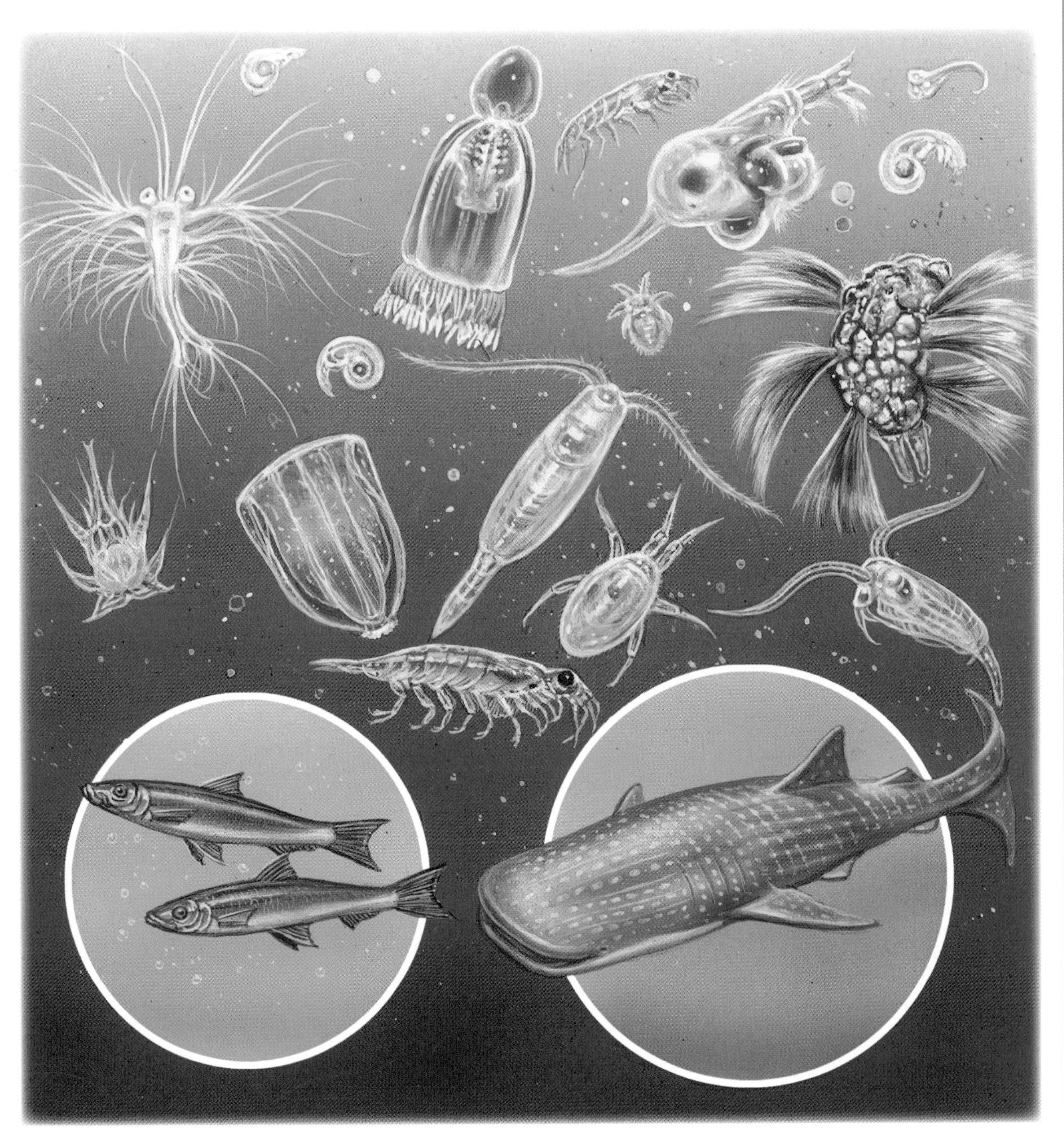

Le plancton est la principale nourriture des baleines, des requins baleines et de petits poissons comme les sardines.

LES POUX

Qui ne connaît pas ces vilaines petites bêtes qui ne peuvent vivre que grâce aux êtres vivants, car ils se nourrissent de leur sang ?

Ils vivent surtout dans les cheveux. Ils aiment la chaleur, mais pas trop. Si on a de la fièvre, les poux changent de tête. Ils s'agrippent aux cheveux grâce à des pinces situées au bout de leurs pattes.

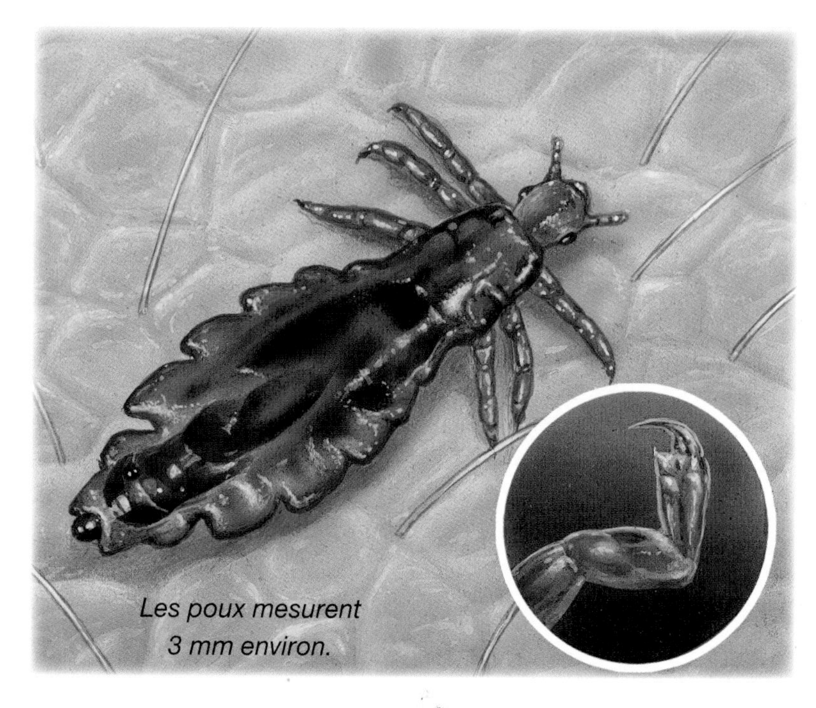

Les poux mesurent 3 mm environ.

La femelle pond durant trois à quatre semaines des œufs appelés lentes qui se collent solidement aux cheveux. Il en sort des larves qui deviennent adultes en trois semaines environ.

LES ACARIENS

Ce sont des animaux minuscules qui peuvent se retrouver sur la peau des humains et provoquer de terribles démangeaisons.

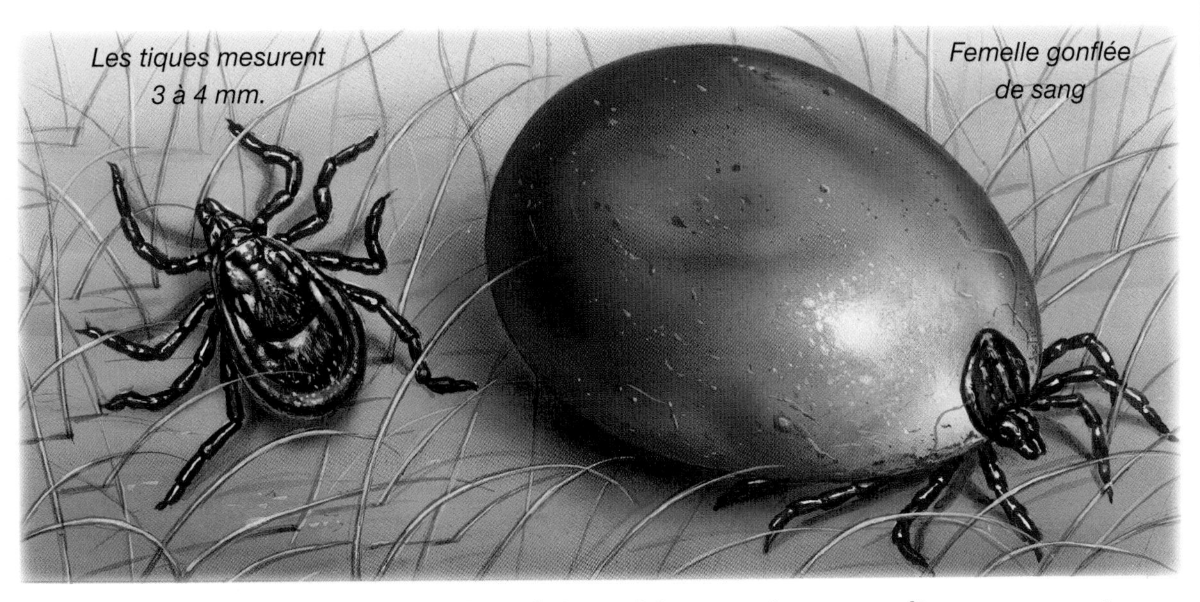

Les tiques vivent en forêt, où les chiens et leurs maîtres peuvent en attraper. Les larves et les femelles se nourrissent de sang.

Les aoûtats sont des larves qui vivent en été dans les herbes. Elles provoquent des démangeaisons.

De nombreux acariens parasitent les plantes. Cela se manifeste par des taches ou des boursouflures de couleur.

QUELQUES PHOTOS D'ACARIENS ET DE PARASITES

La taille des acariens varie de 0,2 à 3 mm. Ces bêtes microscopiques, aux allures monstrueuses, sont présentes partout autour de nous ou sur nous.

Parasites des oiseaux. Il leur suce le sang.

Puce des chiens, avec sa tête en gros plan.

Acarien des lits mangeant un autre acarien.

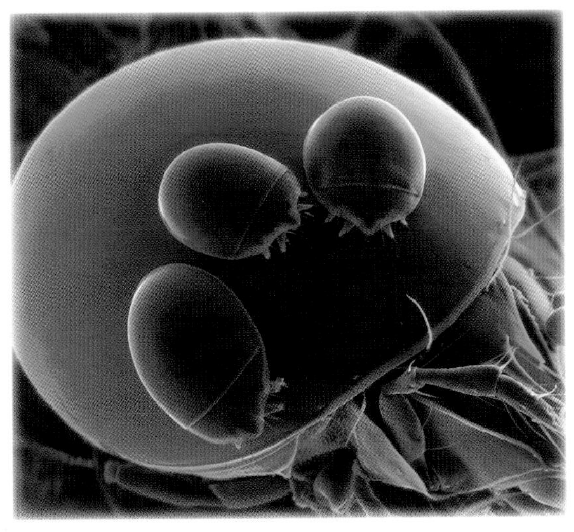

Acarien en transportant d'autres.

Acarien des feuillages.

le monde des imageries
Dès 1 an
Des livres
qui gran
Découvre tes pr
La collection Pourquoi - Comment ? répond aux
la collection des grandes imageries : animaux - tr
32 pages + des images à découper.
LA NATURE
LA MER
L'ESPACE
MOYEN ÂGE
PRÉHISTOIRE
LE CORPS
LES CHATS
DAUPHINS
LA SAVANE
LES FAUVES
LES MOTOS
CAMIONS
CATASTROPHES
LA POLICE
FANTASTIQUES
LA TOUR EIFFEL
L'ÉGYPTE
PRÉHISTOIRE